POKÉMON™

Attrapez-les tous !™

POKÉDEX

LES 151 POKÉMON DE LA RÉGION DE KANTO !

hachette
JEUNESSE

KANTO

LES POKÉ BALLS

POKÉ BALL

La plus emblématique des Poké Balls permet d'attraper tous types de Pokémon.

SUPER BALL

Elle donne au Dresseur une chance supplémentaire d'attraper un Pokémon par rapport à la Poké Ball classique.

HYPER BALL

Encore plus efficace pour attraper un Pokémon que la Super Ball.

MASTER BALL

Elle permet d'attraper n'importe quel type de Pokémon et ce, à coup sûr ! La Master Ball est très rare.

SAFARI BALL

Elle ne peut être utilisée que dans des lieux spécifiques.

LES TYPES DE POKÉMON

TYPE ACIER

Magnéti

Magnéton

TYPE DRAGON

Minidraco

Draco

Dracolosse

TYPE COMBAT

Colossinge

Férosinge

Kicklee

Machoc

Machopeur

Mackogneur

Tartard

Tygnon

TYPE ÉLECTRIK

Électhor

Électrode

Élektek

Magnéti

Magnéton

Pikachu

Raichu

Voltali

Voltorbe

TYPE EAU

Akwakwak

Amonistar

Amonita

Aquali

Carabaffe

Carapuce

Crustabri

Flagadoss

Hypocéan

Hypotrempe

Kabuto

Kabutops

Kokiyas

Krabboss

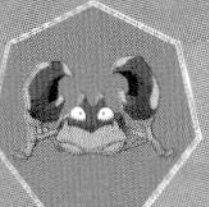
Krabby

Lamantine

Léviator

Lokhlass

Magicarpe

Otaria

Poissirène

Poissoroy

Psykokwak

Ptitard

Ramoloss

Stari

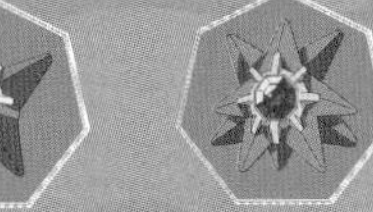
Staross

Tartard

Tentacool

Tentacruel

Têtarte

Tortank

TYPE PLANTE

Boustiflor

Bulbizarre

Chétiflor

Empiflor

Florizarre

Herbizarre

Mystherbe

Noadkoko

Noeunoeuf

Ortide

Rafflesia

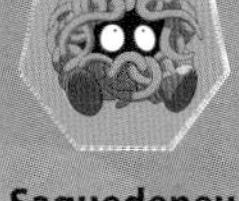
Saquedeneu

TYPE FÉE

Grodoudou

M. Mime

Mélodelfe

Mélofée

Rondoudou

TYPE FEU

Arcanin

Caninos

Dracaufeu

Feunard

Galopa

Goupix

Magmar

Ponyta

Pyroli

Reptincel

Salamèche

Sulfura

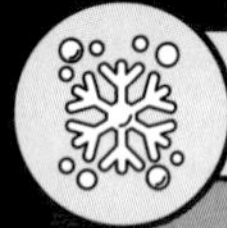

TYPE GLACE

Artikodin

Crustabri

Lamantine

Lippoutou

Lokhlass

TYPE INSECTE

Aéromite

Aspicot

Chenipan

Chrysacier

Coconfort

Dardargnan

Insécateur

Mimitoss

Papilusion

Paras

Parasect

Scarabrute

TYPE POISON

Abo | Aéromite | Arbok | Aspicot | Boustiflor | Bulbizarre

     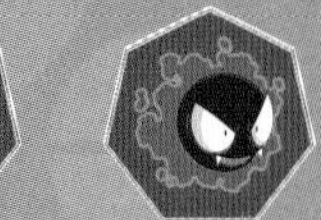

Chétiflor | Coconfort | Dardargnan | Ectoplasma | Empiflor | Fantominus

Florizarre | Grotadmorv | Herbizarre | Mimitoss | Mystherbe | Nidoking

Nidoqueen | Nidoran♀ | Nidoran♂ | Nidorina | Nidorino | Nosferalto

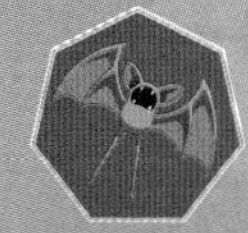     

Nosferapti | Ortide | Rafflesia | Smogo | Smogogo | Spectrum

 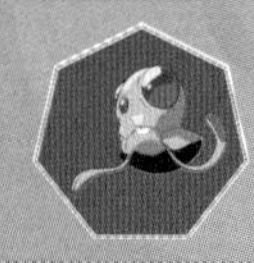 

Tadmorv | Tentacool | Tentacruel

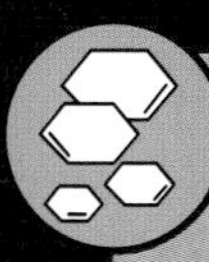

TYPE ROCHE

    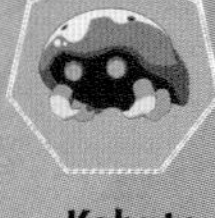 

Amonistar | Amonita | Gravalanch | Grolem | Kabuto | Kabutops

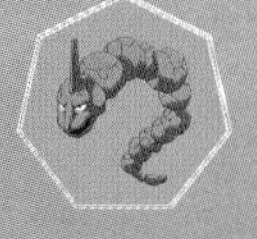    

Onix | Ptéra | Racaillou | Rhinocorne | Rhinoféros

TYPE SPECTRE

Ectoplasma

Fantominus

Spectrum

TYPE SOL

Gravalanch

Grolem

Nidoking

Nidoqueen

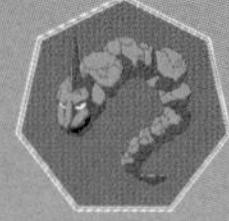
Onix

Ossatueur

Osselait

Racaillou

Rhinocorne

Rhinoféros

Sabelette

Sablaireau

Taupiqueur

Triopikeur

TYPE PSY

Abra

Alakazam

Flagadoss

Hypnomade

Kadabra

Lippoutou

M. Mime

Mew

Mewtwo

Noadkoko

Noeunoeuf

Ramoloss

Soporifik

Staross

TYPE NORMAL

Canarticho

Dodrio

Doduo

Évoli

Excelangue

Grodoudou

Kangourex

Leveinard

Métamorph

Miaouss

Persian

Piafabec

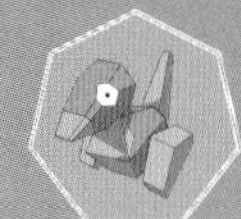
Porygon

Rapasdepic

Rattata

Rattatac

Rondoudou

Ronflex

Roucarnage

Roucool

Roucoups

Tauros

TYPE VOL

Artikodin

Canarticho

Dodrio

Doduo

Dracaufeu

Dracolosse

Électhor

Insécateur

Léviator

Nosferalto

Nosferapti

Papilusion

Piafabec

Ptéra

Rapasdepic

Roucarnage

Roucool

Roucoups

Sulfura

LES PIERRES D'ÉVOLUTION DE KANTO

PIERRE FEU

Une pierre étrange qui fait évoluer certaines espèces de Pokémon. Elle est jaune et orange.

PIERRE LUNE

Une pierre étrange qui fait évoluer certaines espèces de Pokémon. Elle est sombre comme la nuit.

PIERRE SOLEIL

Une pierre étrange qui fait évoluer certaines espèces de Pokémon. Elle est rouge comme le soleil couchant.

PIERRE FOUDRE

Une pierre étrange qui fait évoluer certaines espèces de Pokémon. Un éclair est dessiné dessus.

PIERRE EAU

Une pierre étrange qui fait évoluer certaines espèces de Pokémon. Elle est de couleur bleue.

PIERRE PLANTE

Une pierre étrange qui fait évoluer certaines espèces de Pokémon. Une feuille est dessinée dessus.

BULBIZARRE

Bul-bi-zarre

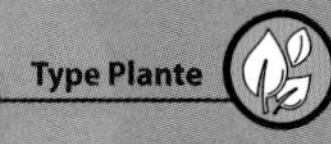
Type Plante  Type Poison

Taille : **0,7 m**

Poids : **6,9 kg**

Catégorie : **Pokémon Graine**

Bulbizarre aime se reposer au soleil. Quand il dort, la graine sur son dos capte les rayons du soleil qu'elle utilise ensuite pour grandir.

ÉVOLUTION

Bulbizarre

Herbizarre

Florizarre

HERBIZARRE

Her-bi-zarre

Type Plante   Type Poison

Taille : **1,0 m**

Poids : **13,0 kg**

Catégorie : **Pokémon Graine**

Les pattes d'Herbizarre se sont renforcées pour aider à supporter le poids du bourgeon sur son dos. Quand le bourgeon est prêt à éclore, ce Pokémon passe la plupart du temps à dormir au soleil.

ÉVOLUTION

Bulbizarre

Herbizarre

Florizarre

FLORIZARRE

Flo-ri-zarre

Type Plante  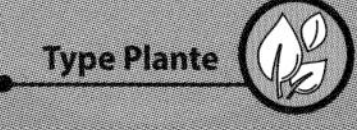 Type Poison

Taille : **2,0 m**

Poids : **100,0 kg**

Catégorie : **Pokémon Graine**

Quand Florizarre est bien nourri et passe suffisamment de temps au soleil, la fleur sur son dos devient très colorée. Elle émet un parfum apaisant.

ÉVOLUTION

Bulbizarre

Herbizarre

Florizarre

Ce Pokémon méga-évolue à Kalos.

SALAMÈCHE

Sa-la-mèche

 Type Feu

Taille : **0,6 m**

Poids : **8,5 kg**

Catégorie : **Pokémon Lézard**

On peut connaître l'humeur d'un Salamèche en regardant la flamme au bout de sa queue. Elle devient très grande et brûle avec ardeur lorsque Salamèche est en colère !

ÉVOLUTION

Salamèche

Reptincel

Dracaufeu

REPTINCEL

Rep-tin-cel

Type Feu

Taille : **1,1 m**

Poids : **19,0 kg**

Catégorie : **Pokémon Flamme**

Quand Reptincel affronte un adversaire redoutable, la flamme au bout de sa queue brûle si fort qu'elle devient blanche. Ses griffes sont très acérées.

ÉVOLUTION

Salamèche

Reptincel

Dracaufeu

DRACAUFEU

Dra-cau-feu

Type Feu

Type Vol

Taille : **1,7 m**

Poids : **90,5 kg**

Catégorie : **Pokémon Flamme**

Dracaufeu est toujours à la recherche d'adversaires plus coriaces que lui et crache du feu uniquement face à ceux qu'il juge dignes de l'affronter. Son souffle est si chaud qu'il peut réduire n'importe quelle matière en cendres.

ÉVOLUTION

Salamèche

Reptincel

Dracaufeu

Ce Pokémon méga-évolue à Kalos.

CARAPUCE

Ca-ra-puce

Type Eau

Taille : **0,5 m**

Poids : **9,0 kg**

Catégorie :

Pokémon Minitortue

La carapace de Carapuce est couverte de stries et a une forme aérodynamique, ce qui lui lui permet de fendre l'eau à toute vitesse. Sa carapace le protège aussi lors des combats Pokémon.

ÉVOLUTION

Carapuce

Carabaffe

Tortank

CARABAFFE

Ca-ra-baffe

Type Eau

Taille : **1,0 m**

Poids : **22,5 kg**

Catégorie :

Pokémon Tortue

La fourrure sur la queue de Carabaffe devient plus foncée avec l'âge. Sa carapace porte les marques de nombreuses batailles.

ÉVOLUTION

Carapuce

Carabaffe

Tortank

TORTANK

Tor-tank

Type Eau

009

Taille :
1,6 m

Poids :
85,5 kg

Catégorie :
Pokémon Carapace

Grâce aux canons sur son dos, Tortank peut tirer de l'eau tels des boulets de canon avec une précision étonnante. Il peut toucher une cible à plus de 50 mètres !

ÉVOLUTION

Carapuce
Carabaffe
Tortank

CHENIPAN

Che-ni-pan

Type Insecte

010

Taille :
0,3 m

Poids :
2,9 kg

Catégorie :
Pokémon Ver

Un Chenipan affamé est capable de dévorer des feuilles plus grandes que lui en un instant. Ses antennes peuvent produire une odeur nauséabonde.

ÉVOLUTION

Chenipan

Chrysacier

Papilusion

CHRYSACIER

Cri-za-cier

011

Taille : **0,7 m**

Poids : **9,9 kg**

Catégorie : **Pokémon Cocon**

Chrysacier se prépare patiemment à évoluer à l'intérieur de son cocon dur comme l'acier. Il ne bouge pas beaucoup, c'est pourquoi il se sert de sa carapace pour se protéger.

ÉVOLUTION

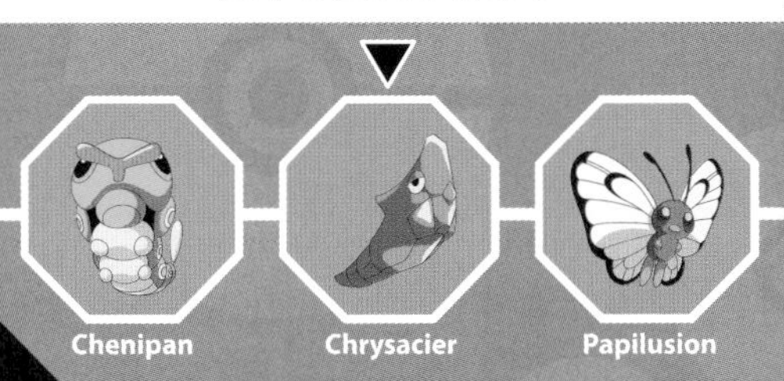

Chenipan — Chrysacier — Papilusion

PAPILUSION

Pa-pi-lu-zion

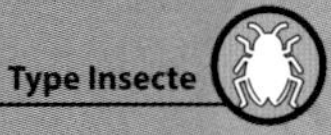

Type Vol

012

Taille : **1,1 m**

Poids : **32,0 kg**

Catégorie : **Pokémon Papillon**

Papilusion est très doué pour repérer les fleurs qui produisent le meilleur nectar. Il parcourt parfois plus de dix kilomètres pour trouver sa nourriture favorite.

ÉVOLUTION

Chenipan

Chrysacier

Papilusion

ASPICOT

As-pi-co

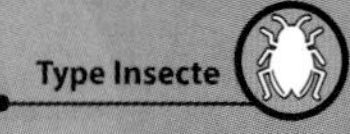

Type Poison

Taille : **0,3 m**

Poids : **3,2 kg**

Catégorie :
Pokémon Insectopic

L'odorat d'Aspicot est très développé. Avec son gros nez rouge, il peut sentir quelles sont les feuilles qui ont le meilleur goût.

ÉVOLUTION

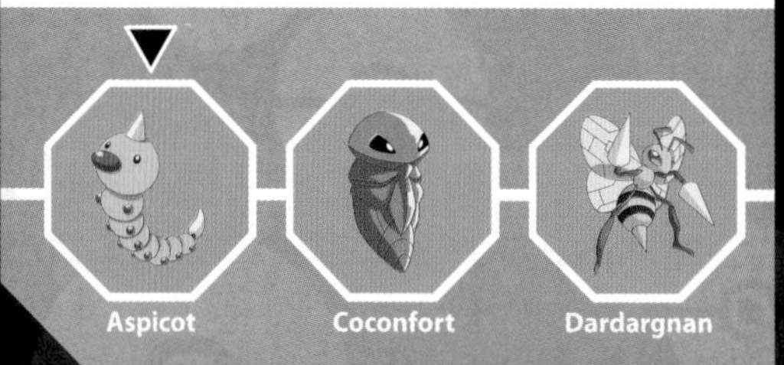

Aspicot **Coconfort** **Dardargnan**

COCONFORT

Co-con-for'

Type Insecte

Type Poison

Taille : **0,6 m**

Poids : **10,0 kg**

Catégorie :
Pokémon Cocon

Vu de l'extérieur, Coconfort a l'air parfaitement immobile. Mais à l'intérieur de son cocon, il est occupé à préparer son évolution. Il est si actif que cela fait parfois chauffer sa coquille.

ÉVOLUTION

Aspicot

Coconfort

Dardargnan

DARDARGNAN

Dar-dar-gnan

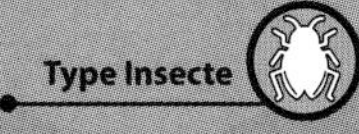

Type Insecte — Type Poison

Taille : **1,0 m**

Poids : **29,5 kg**

Catégorie :
Pokémon Guêpoison

Ne t'approche surtout pas d'un nid de Dardargnan ! S'il y a un intrus, ces Pokémon territoriaux se regroupent en essaim pour attaquer furieusement.

ÉVOLUTION

Aspicot

Coconfort

Dardargnan

Ce Pokémon méga-évolue à Kalos.

ROUCOOL

Rou-coul'

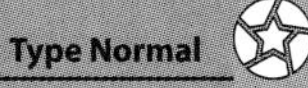

Type Normal — Type Vol

Taille : **0,3 m**

Poids : **1,8 kg**

Catégorie :
Pokémon Minoiseau

Roucool a un excellent sens de l'orientation, ce qui lui permet de toujours retrouver son chemin, ce peu importe la distance parcourue.

ÉVOLUTION

Roucool

Roucoups

Roucarnage

ROUCOUPS

Rou-cou-ps'

Type Normal

Type Vol

Taille :
1,1 m

Poids :
30,0 kg

Catégorie :
Pokémon Oiseau

Comme il est très territorial, Roucoups fait régulièrement des rondes pour surveiller la zone où il a élu domicile. Roucoups fera fuir tous les intrus en les attaquant sans merci avec ses serres acérées.

ÉVOLUTION

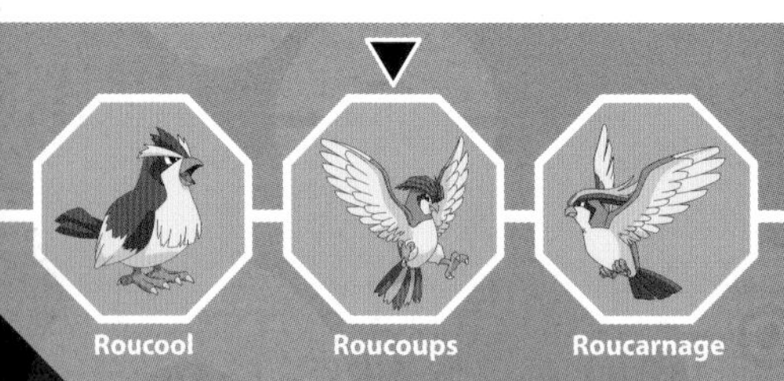

ROUCARNAGE

Rou-car-nage

Type Normal

Type Vol

Taille :
1,5 m

Poids :
39,5 kg

Catégorie :
Pokémon Oiseau

Beaucoup de Dresseurs Pokémon sont captivés par Roucarnage et son superbe plumage. Les vives couleurs de sa huppe sont particulièrement éclatantes.

ÉVOLUTION

Ce Pokémon méga-évolue à Kalos.

RATTATA

Ra-ta-ta

Type Normal

Taille : **0,3 m**
Poids : **3,5 kg**

Catégorie :
Pokémon Souris

Rattata ne baisse jamais sa garde : Il est attentif au moindre bruit, même lorsqu'il dort. Il choisit de faire son nid n'importe où.

ÉVOLUTION

Rattata

Rattatac

RATTATAC

Ra-ta-tac

Type Normal

Taille : **0,7 m**
Poids : **18,5 kg**

Catégorie :
Pokémon Souris

Comme ses crocs poussent en permanence, Rattatac doit constamment ronger des objets durs. Même s'il s'attaque le plus souvent à des rochers et des rondins de bois, il lui arrive de se faire les dents sur des maisons !

ÉVOLUTION

Rattata

Rattatac

PIAFABEC

Pi-a-fa-bec

021

Taille : **0,3 m**

Poids : **2,0 kg**

Catégorie :
Pokémon Minoiseau

Quand plusieurs Piafabec lancent en même temps un cri aigu et perçant, cela signifie bien souvent qu'un danger n'est pas loin.

ÉVOLUTION

Piafabec

Rapasdepic

RAPASDEPIC

Ra-pass'-deu-pic

Type Normal

Type Vol

022

Taille : **1,2 m**

Poids : **38,0 kg**

Catégorie :
Pokémon Bec-Oiseau

Le bec long et fin de Rapasdepic est l'outil parfait pour déterrer la nourriture enfouie dans la terre ou pour attraper des proies dans l'eau.

ÉVOLUTION

Piafabec

Rapasdepic

ABO

A-bo

Type Poison

Taille : **2,0 m**

Poids : **6,9 kg**

Catégorie : **Pokémon Serpent**

Quand Abo se repose, il enroule son corps allongé en spirale. Dans cette position, il peut rapidement redresser la tête si un ennemi se présente.

ÉVOLUTION

Abo

Arbok

ARBOK

Ar'-bok

Type Poison

Taille : **3,5 m**

Poids : **65,0 kg**

Catégorie : **Pokémon Cobra**

Avec sa force de constricteur, Arbok est capable d'écraser un tonneau en acier entre ses puissants anneaux. Se dégager de son étreinte n'est pas chose facile.

ÉVOLUTION

Abo

Arbok

PIKACHU

Pi-ka-tchou

Type Électrik

Taille : **0,4 m**

Poids : **6,0 kg**

Catégorie : **Pokémon Souris**

Les poches rouges sur les joues de Pikachu emmagasinent l'électricité lorsqu'il dort. Il lance souvent une décharge électrique quand il voit quelque chose pour la première fois.

ÉVOLUTION

RAICHU

Raï-tchou

Type Électrik

Taille : **0,8 m**

Poids : **30,0 kg**

Catégorie : **Pokémon Souris**

Raichu enfonce sa queue dans le sol pour se débarrasser du trop-plein d'électricité présent dans son corps. La charge électrique à l'intérieur de Raichu le fait légèrement briller dans le noir.

ÉVOLUTION

SABELETTE

Sa-beu-let'

Type Sol

027

Taille : **0,6 m**

Poids : **12,0 kg**

Catégorie :
Pokémon Souris

La peau dure et résistante de Sabelette lui permet de se protéger lorsqu'il se roule en boule. Il vit dans le désert et dort dans un terrier sous le sable.

ÉVOLUTION

Sabelette

Sablaireau

SABLAIREAU

Sa-blai-ro

Type Sol

028

Taille : **1,0 m**

Poids : **29,5 kg**

Catégorie :
Pokémon Souris

Les plaques épaisses de Sablaireau forment des piques qui recouvrent tout son corps. Ces piques le protègent lors des combats, et il peut aussi les utiliser pour attaquer.

ÉVOLUTION

Sabelette

Sablaireau

NIDORAN ♀

Ni-do-ra-nn

Type Poison

Taille : **0,4 m**

Poids : **7,0 kg**

Catégorie : **Pokémon Vénépic**

Malgré sa petite taille, Nidoran ♀ est un Pokémon très dangereux. Les piquants présents dans sa fourrure et la corne sur sa tête sont extrêmement venimeux.

ÉVOLUTION

NIDORINA

Ni-do-ri-na

Type Poison

Taille : **0,8 m**

Poids : **20,0 kg**

Catégorie : **Pokémon Vénépic**

Nidorina est un Pokémon très sociable qui devient nerveux s'il est tout seul. Quand il est en compagnie de ses amis, ses piquants empoisonnés se rétractent afin de ne blesser personne.

ÉVOLUTION

NIDOQUEEN

Ni-do-kwi-nn

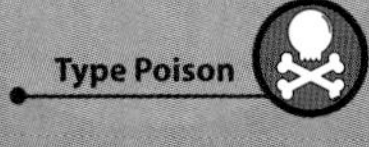

Taille : **1,3 m**

Poids : **60,0 kg**

Catégorie :
Pokémon Perceur

Pour défendre son nid, Nidoqueen charge les intrus avec son corps recouvert d'épaisses écailles. L'impact est si puissant qu'il envoie souvent l'ennemi voler dans les airs.

ÉVOLUTION

Nidoran ♀

Nidorina

Nidoqueen

NIDORAN ♂

Ni-do-ra-nn

Taille : **0,5 m**

Poids : **9,0 kg**

Catégorie :
Pokémon Vénépic

Nidoran ♂ a une ouïe très fine et, grâce à aux muscles dans ses oreilles, il peut les bouger et les tourner pour capter le moindre son.

ÉVOLUTION

Nidoran ♂

Nidorino

Nidoking

NIDORINO

Ni-do-ri-no

Type Poison

Taille : **0,9 m**

Poids : **19,5 kg**

Catégorie : **Pokémon Vénépic**

La corne sur le front de Nidorino est faite d'une matière extrêmement dure. Lors des combats, ses poils se hérissent pour révéler ses piquants empoisonnés.

ÉVOLUTION

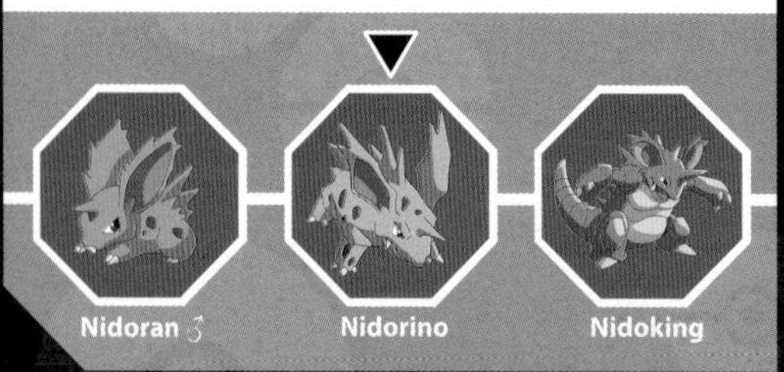

Nidoran ♂ Nidorino Nidoking

NIDOKING

Ni-do-ki-nn-g'

Type Poison  Type Sol

Taille : **1,4 m**

Poids : **62,0 kg**

Catégorie : **Pokémon Perceur**

Nidoking est capable de démolir une tour métallique avec un coup de son énorme queue. Rien ne peut résister à sa terrible fureur.

ÉVOLUTION

Nidoran ♂ Nidorino Nidoking

MÉLOFÉE

Mé-lo-fé

Type Fée

Taille : **0,6 m**

Poids : **7,5 kg**

Catégorie : **Pokémon Fée**

Les Mélofée aiment jouer ensemble les soirs de pleine lune. Lorsque le soleil brille, ils se retirent dans les montagnes et dorment blottis les uns contre les autres.

ÉVOLUTION

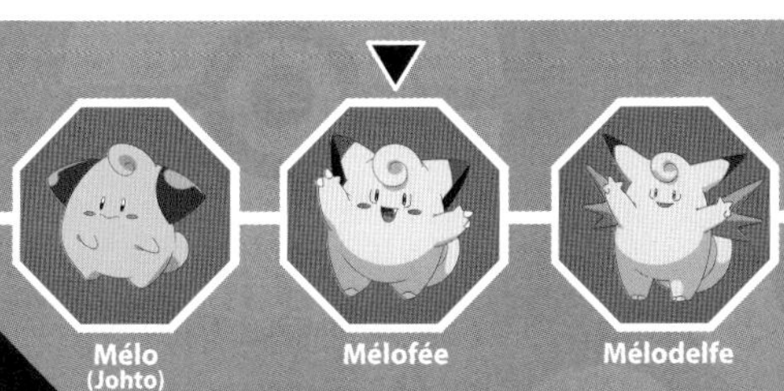

MÉLODELFE

Mé-lo-délfe

Type Fée

Taille : **1,3 m**

Poids : **40,0 kg**

Catégorie : **Pokémon Fée**

Mélodelfe se déplace avec tant de légèreté qu'il peut sautiller à la surface de l'eau. On l'aperçoit sur les lacs, au clair de lune.

ÉVOLUTION

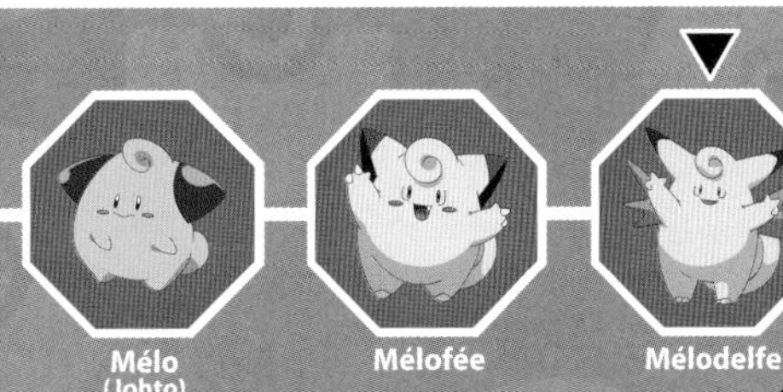

GOUPIX

Gou-piks

Type Feu

Taille : **0,6 m**

Poids : **9,9 kg**

Catégorie : **Pokémon Renard**

À sa naissance, Goupix a une queue qui se divise en six lorsqu'il grandit. Le feu qui se trouve en lui ne cesse jamais de brûler.

ÉVOLUTION

Goupix

Feunard

FEUNARD

Feu-nar'

Type Feu

Taille : **1,1 m**

Poids : **19,9 kg**

Catégorie : **Pokémon Renard**

Feunard peut prendre le contrôle de l'esprit de ses adversaires rien qu'en les fixant de ses yeux rouges. On raconte que ce Pokémon serait né de la fusion de neuf sorciers.

ÉVOLUTION

Goupix

Feunard

RONDOUDOU

Ron-dou-dou

Taille : **0,5 m**

Poids : **5,5 kg**

Catégorie : **Pokémon Bouboule**

Le chanson de Rondoudou est son plus grand atout, car elle lui permet d'endormir ses ennemis. Comme Rondoudou s'arrête de respirer lorsqu'il chante, il met sa vie en danger si un combat dure trop longtemps.

ÉVOLUTION

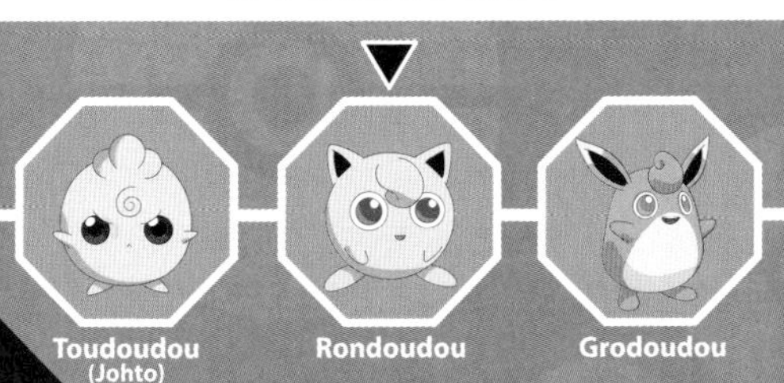

GRODOUDOU

Gro-dou-dou

Type Normal

Taille : **1,0 m**

Poids : **12,0 kg**

Catégorie : **Pokémon Bouboule**

Une couche de larmes protectrice recouvre les immenses yeux de Grodoudou. Il peut aspirer l'air pour gonfler son corps extensible jusqu'à ressembler à un ballon.

ÉVOLUTION

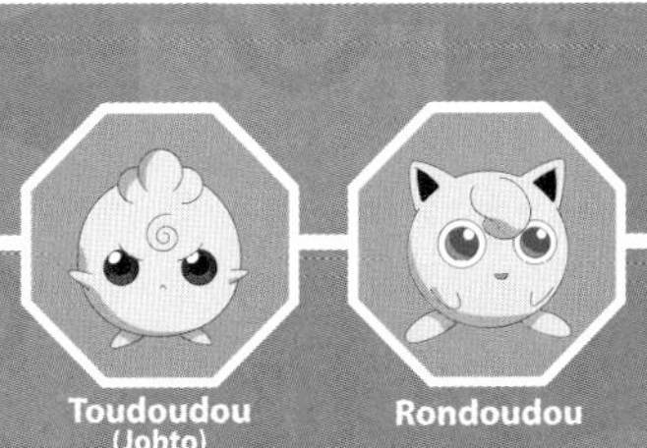

NOSFERAPTI

Nos-fé-rap-ti

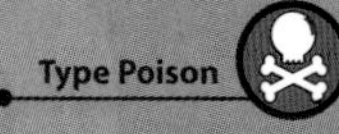

Type Vol

Taille : **0,8 m**

Poids : **7,5 kg**

Catégorie : **Pokémon Chovsouris**

La lumière du jour est nocive pour Nosferapti, c'est pourquoi il reste caché durant la journée. Il préfère les endroits sombres comme les grottes ou les vieilles maisons.

ÉVOLUTION

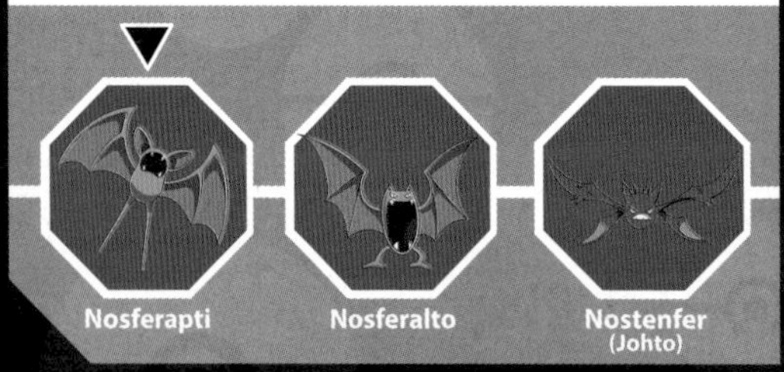

NOSFERALTO

Nos-fé-ral-to

Type Poison

Type Vol

Taille : **1,6 m**

Poids : **55,0 kg**

Catégorie : **Pokémon Chovsouris**

Nosferalto se nourrit du sang d'êtres vivants grâce à ses quatre crocs acérés. L'obscurité lui donne un avantage pendant les combats, il préfère donc attaquer lors des nuits noires.

ÉVOLUTION

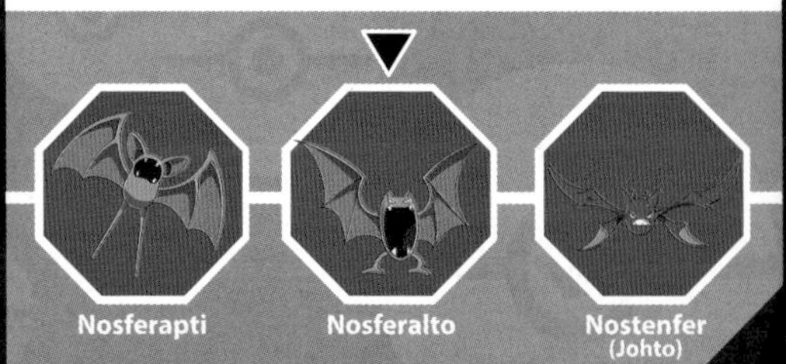

MYSTHERBE

Mis-terb'

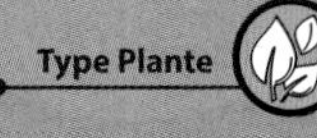
Type Plante  Type Poison

Taille : **0,5 m**

Poids : **5,4 kg**

Catégorie : **Pokémon Racine**

Mystherbe cherche un sol fertile pour y absorber les nutriments présents dans la terre. Une fois qu'il a trouvé l'emplacement parfait, il s'enterre dans le sol et il apparaît que ses pieds se changent alors en racines.

ÉVOLUTION

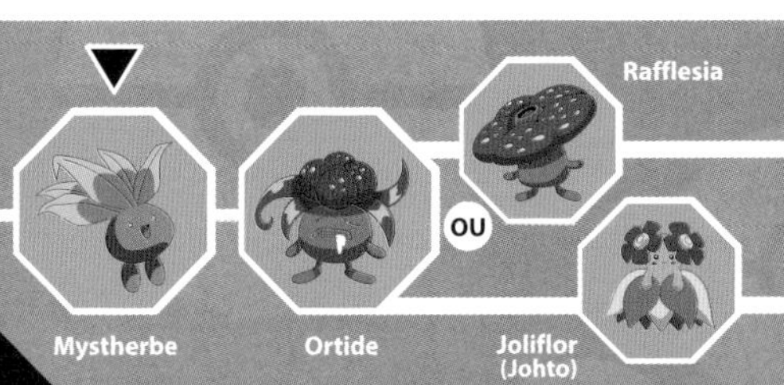

ORTIDE

Or-tide

Type Plante  Type Poison

Taille : **0,8 m**

Poids : **8,6 kg**

Catégorie : **Pokémon Racine**

Ortide ne diffuse pas toujours une odeur nauséabonde : quand il se sent détendu et en sécurité, son parfum s'atténue. Malgré tout, son nectar sent généralement très mauvais.

ÉVOLUTION

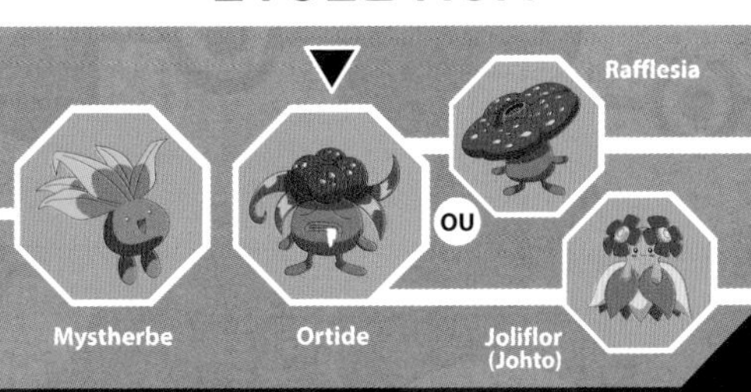

RAFFLESIA

Raf-flé-sia

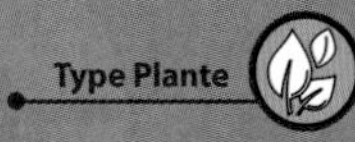

Type Poison

Taille : **1,2 m**

Poids : **18,6 kg**

Catégorie : **Pokémon Fleur**

Le pollen empoisonné diffusé par Rafflesia provoque de violentes réactions allergiques chez certaines personnes. Les pétales de sa fleur sont absolument gigantesques.

ÉVOLUTION

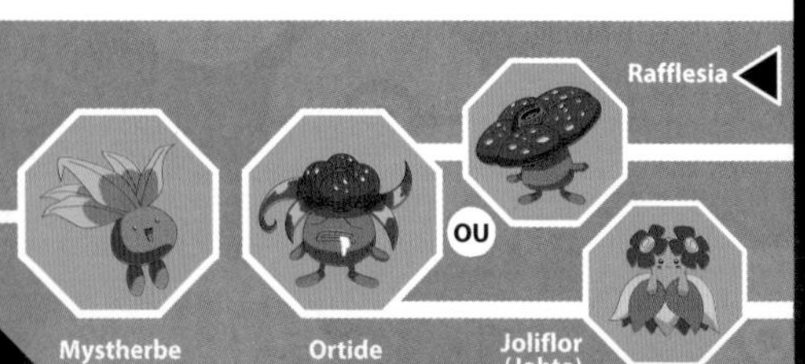

PARAS

Pa-ra-ss

Type Plante

Taille : **0,3 m**

Poids : **5,4 kg**

Catégorie : **Pokémon Champignon**

Des champignons appelés tochukaso poussent sur le dos de Paras. Ils sont parfois utilisés pour soigner.

ÉVOLUTION

PARASECT

Parassect

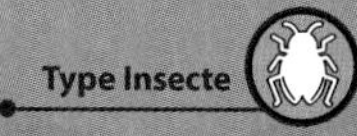

Type Insecte

Type Plante

047

Taille : **1,0 m**

Poids : **29,5 kg**

Catégorie : **Pokémon Champignon**

Parasect se nourrit des racines des arbres. Si tout un groupe s'attaque au même arbre, il peut faire de gros dégâts.

ÉVOLUTION

Paras

Parasect

MIMITOSS

Mi-mi-to-ss

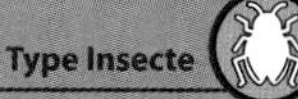

Type Insecte

Type Poison

048

Taille : **1,0 m**

Poids : **30,0 kg**

Catégorie : **Pokémon Vermine**

Les grands yeux de Mimitoss sont très sensibles et peuvent voir le moindre mouvement. Le pelage qui couvre son corps le protège des coups.

ÉVOLUTION

Mimitoss

Aéromite

AÉROMITE

A-é-ro-mite

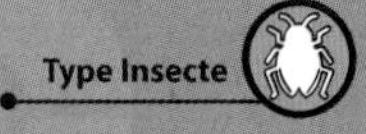

Type Poison

Taille : **1,5 m**

Poids : **12,5 kg**

Catégorie :
Pokémon Papipoison

Actif uniqmement la nuit, Aéromite est souvent visible près des lampadaires. Ce n'est pas la lumière qui l'attire, mais la promesse de nourriture.

ÉVOLUTION

Mimitoss

Aéromite

TAUPIQUEUR

To-pi-queur

Type Sol

Taille : **0,2 m**

Poids : **0,8 kg**

Catégorie :
Pokémon Taupe

Les fermiers aiment avoir un Taupiqueur chez eux. En effet, quand ce Pokémon creuse le sol, il laboure la terre qui est alors prête à être cultivée.

ÉVOLUTION

Taupiqueur

Triopikeur

TRIOPIKEUR

Tri-o-pi-queur

Type Sol

Taille : **0,7 m**

Poids : **33,3 kg**

Catégorie :

Pokémon Taupe

Triopikeur sait que trois têtes valent mieux qu'une lorsqu'il s'agit de creuser. Ce trio pense de la même façon et travaille en harmonie.

ÉVOLUTION

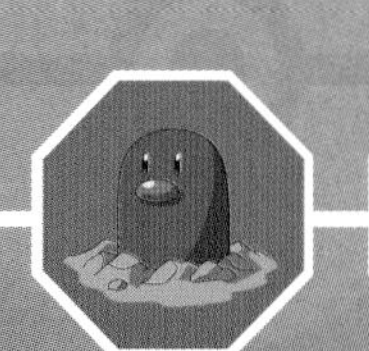

Taupiqueur

Triopikeur

MIAOUSS

Mya-ouss'

Type Normal

Taille : **0,4 m**

Poids : **4,2 kg**

Catégorie :

Pokémon Chadégout

Quand Miaouss rétracte ses griffes pointues, il peut se déplacer sans faire de bruit ni laisser d'empreinte. Il est attiré par tout ce qui brille, comme les pièces de monnaie.

ÉVOLUTION

Miaouss

Persian

PERSIAN

Per-si-an

 Type Normal

053

Taille : **1,0 m**

Poids : **32,0 kg**

Catégorie : **Pokémon Chadeville**

Persian utilise ses moustaches particulières comme des capteurs pour savoir ce qui se passe autour de lui. Si on l'attrape par les moustaches, il devient docile.

ÉVOLUTION

Miaouss

Persian

PSYKOKWAK

Psi-ko-kwak'

 Type Eau

054

Taille : **0,8 m**

Poids : **19,6 kg**

Catégorie : **Pokémon Canard**

Psykokwak possède de mystérieux pouvoirs psychiques qu'il ne se souvient jamais d'avoir utilisés. Apparemment, son pouvoir génère d'étranges ondes cérébrales qui ressemblent à celles des dormeurs.

ÉVOLUTION

Psykokwak

Akwakwak

AKWAKWAK

A-coua-couak'

Type Eau

055

Taille : **1,7 m**

Poids : **76,6 kg**

Catégorie :
Pokémon Canard

Ses pattes palmées font d'Akwakwak un excellent nageur. Même face à de puissants courants et des vagues gigantesques, Akwakwak peut fendre les eaux pour secourir les victimes d'un naufrage.

ÉVOLUTION

Psykokwak **Akwakwak**

FÉROSINGE

Fé-ro-singe

Type Combat

056

Taille : **0,5 m**

Poids : **28,0 kg**

Catégorie :
Pokémon Porsinge

Férosinge se met très en colère à la moindre provocation. Même si ses accès de rage sont en général précédés de violents tremblements, il est presque impossible de lui échapper.

ÉVOLUTION

Férosinge

Colossinge

COLOSSINGE

Co-lo-singe

Type Combat

Taille : **1,0 m**

Poids : **32,0 kg**

Catégorie : **Pokémon Porsinge**

Lorsque Colossinge est en colère, sa pression sangine augmente et renforce ses muscles. Mais son degré d'intelligence chute alors considérablement.

ÉVOLUTION

Férosinge

Colossinge

CANINOS

Ka-ni-no-ss

Type Feu

Taille : **0,7 m**

Poids : **19,0 kg**

Catégorie : **Pokémon Chiot**

Caninos a un excellent odorat et une très bonne mémoire des odeurs. Il l'utilise également pour deviner les émotions des autres créatures vivantes.

ÉVOLUTION

Caninos

Arcanin

ARCANIN

Ar-ca-nin

Type Feu

059

Taille : **1,9 m**

Poids : **155 kg**

Catégorie :
Pokémon Légendaire

C'est la flamme qui brûle à l'intérieur de son corps qui procure à Arcanin sa vitesse et son endurance incroyables. S'il court toute une journée, il peut parcourir près de 10 000 kilomètres.

ÉVOLUTION

PTITARD

Pti-tar

Type Eau

060

Taille : **0,6 m**

Poids : **12,4 kg**

Catégorie :
Pokémon Têtard

La peau de Ptitard est si fine qu'on peut voir au travers et distinguer ses entrailles en forme de spirale. Heureusement, sa peau est aussi très résistante et élastique.

ÉVOLUTION

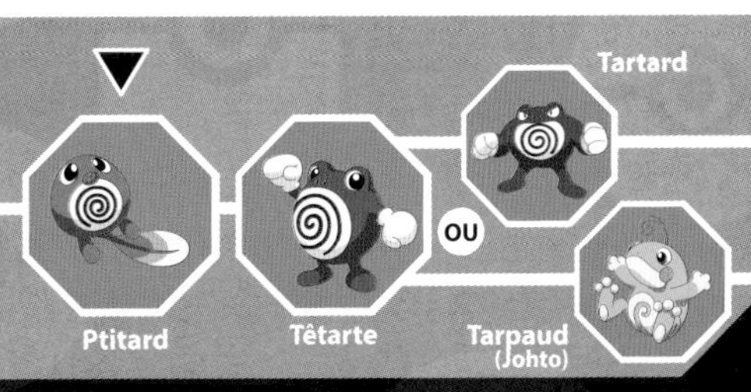

TÊTARTE

Té-tarte

Type Eau

Taille : **1,0 m**

Poids : **20,0 kg**

Catégorie : **Pokémon Têtard**

Têtarte est recouvert d'un fluide visqueux et huileux qui lui permet de s'extirper de n'importe quelle situation.

ÉVOLUTION

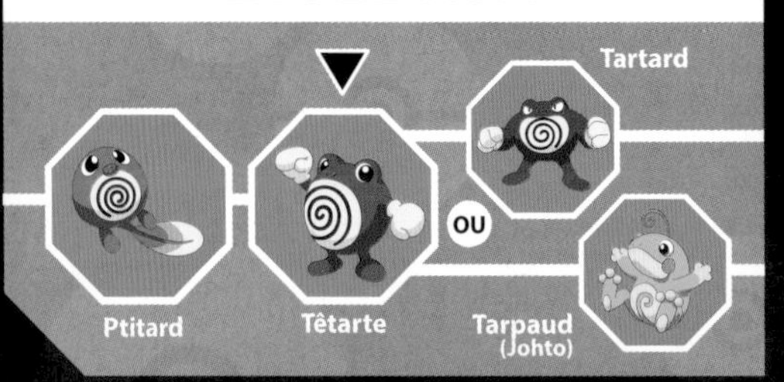

TARTARD

Tar-tar

Type Eau

Type Combat

Taille : **1,3 m**

Poids : **54,0 kg**

Catégorie : **Pokémon Têtard**

Tartard est costaud et musclé, ainsi il peut faire de l'exercice pendant des heures sans jamais se fatiguer. Il nage sans effort dans l'océan.

ÉVOLUTION

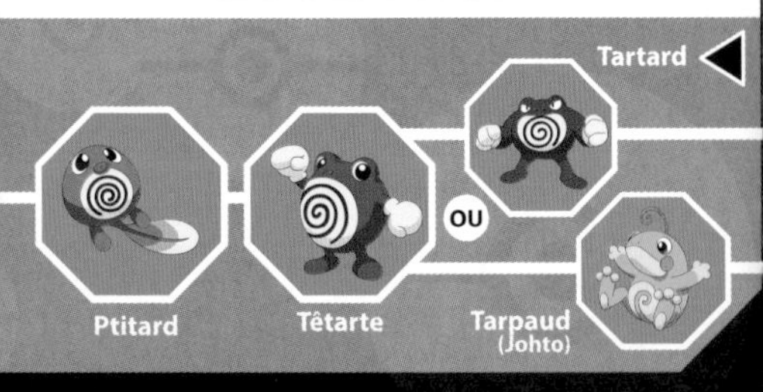

ABRA

A-bra

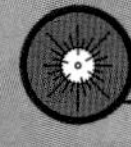

Type Psy

063

Taille : **0,9 m**

Poids : **19,5 kg**

Catégorie : **Pokémon Psy**

Même lorsqu'Abra dort, c'est-à-dire la plupart du temps, il peut fuir un ennemi en se téléportant. S'il ne dort pas assez, ses pouvoirs s'affaiblissent.

ÉVOLUTION

Abra

Kadabra

Alakazam

KADABRA

Ka-da-bra

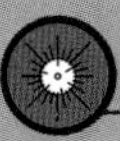

Type Psy

064

Taille : **1,3 m**

Poids : **56,5 kg**

Catégorie : **Pokémon Psy**

Kadabra tient une cuillère en argent qui intensifie ses ondes psychiques. Seules les personnes avec un esprit résistant peuvent tenter de dresser ce Pokémon.

ÉVOLUTION

Abra

Kadabra

Alakazam

ALAKAZAM

A-la-ka-zam

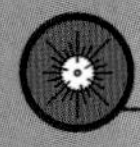
Type Psy

065

Taille :
1,5 m

Poids :
48,0 kg

Catégorie :
Pokémon Psy

Comme son cerveau grossit sans arrêt, Alakazam doit utiliser la télékinésie pour relever sa lourde tête. En contrepartie, il a une mémoire et une intelligence exceptionnelles.

ÉVOLUTION

Abra

Kadabra

Alakazam

Ce Pokémon méga-évolue à Kalos.

MACHOC

Mat-chok

Type Combat

066

Taille :
0,8 m

Poids :
19,5 kg

Catégorie :
Pokémon Colosse

Machoc soulève des Gravalanch comme des altères pour renforcer ses muscles. Il s'entraîne sans relâche et n'est jamais fatigué.

ÉVOLUTION

Machoc

Machopeur

Mackogneur

MACHOPEUR

Mat-cho-peur

Type Combat

Taille : **1,5 m**

Poids : **70,5 kg**

Catégorie : **Pokémon Colosse**

Machopeur est toujours en train de s'entraîner. Même s'il a un travail où il effectue de durs labeurs pour les gens, il passe son temps libre à développer ses muscles.

ÉVOLUTION

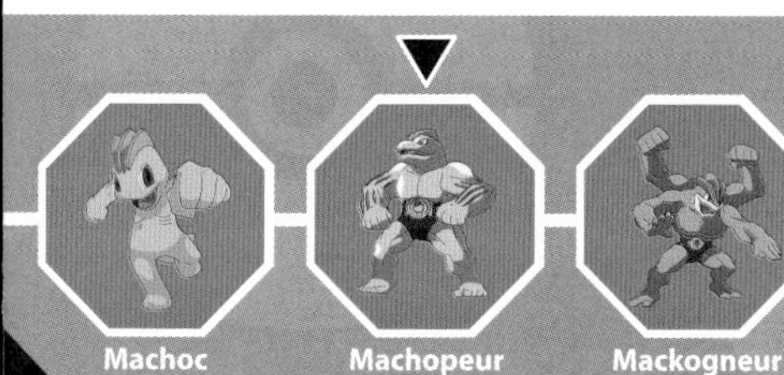

MACKOGNEUR

Ma-ko-nieur

Type Combat

Taille : **1,6 m**

Poids : **130,0 kg**

Catégorie : **Pokémon Colosse**

Même s'il est un maître des arts martiaux, il arrive que Mackogneur emmêle ses quatre bras lorsqu'il tente d'accomplir des tâches un peu délicates.

ÉVOLUTION

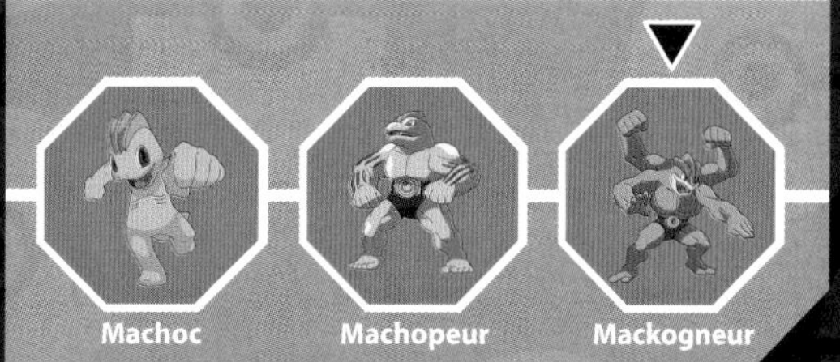

CHÉTIFLOR

Ché-ti-flor

Type Plante  Type Poison

069

Taille : **0,7 m**

Poids : **4,0 kg**

Catégorie : **Pokémon Fleur**

Le corps long et fin de Chétiflor peut se plier dans n'importe quelle direction, ce qui le rend doué pour esquiver les attaques. Le liquide qu'il crache est extrêmement corrosif.

ÉVOLUTION

Chétiflor

Boustiflor

Empiflor

BOUSTIFLOR

Bouss'-ti-flor'

Type Plante Type Poison

070

Taille : **1,0 m**

Poids : **6,4 kg**

Catégorie : **Pokémon Carnivore**

La tige crochue derrière sa tête permet à Boustiflor de se pendre à la branche d'un arbre pour dormir. Il lui arrive parfois de tomber de son arbre pendant la nuit.

ÉVOLUTION

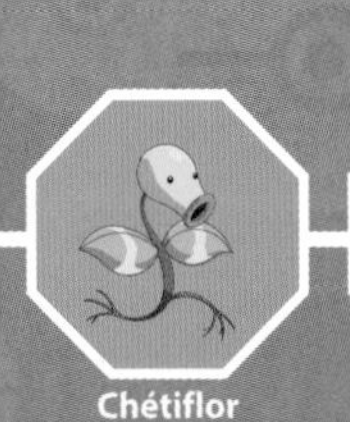

Chétiflor

Boustiflor

Empiflor

EMPIFLOR

En-pi-flor'

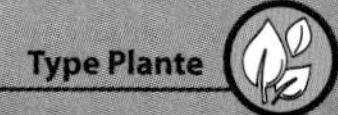

Type Plante

Type Poison

071

Taille : **1,7 m**

Poids : **15,5 kg**

Catégorie : **Pokémon Carnivore**

Empiflor utilise sa longue liane comme un appât, il l'agite et la fait onduler pour attirer ses proies plus près de sa bouche béante.

ÉVOLUTION

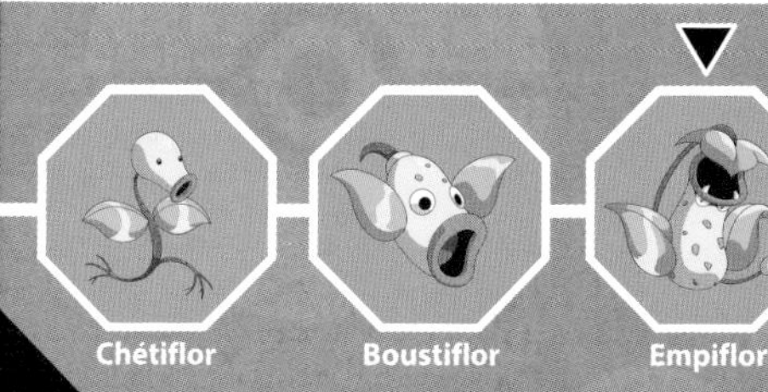

Chétiflor – Boustiflor – Empiflor

TENTACOOL

Ten-ta-coul

Type Eau

Type Poison

072

Taille : **0,9 m**

Poids : **45,5 kg**

Catégorie : **Pokémon Mollusque**

Si un Tentacool passe trop de temps hors de l'eau, son corps s'assèche. Quand il est dans l'eau, il peut concentrer et rediriger la lumière du soleil en rayons d'énergie.

ÉVOLUTION

Tentacool

Tentacruel

TENTACRUEL

Ten-ta-cru-el'

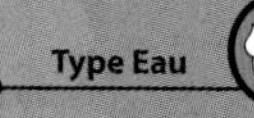
Type Eau  Type Poison

Taille : **1,6 m**

Poids : **55,0 kg**

Catégorie :
Pokémon Mollusque

Quand l'orbe rouge sur le front de Tentacruel luit, c'est qu'il est sur le point de relâcher un violent rayon capable de créer de grosses vagues. Ses tentacules empoisonnés peuvent s'étirer pour attraper de la nourriture.

ÉVOLUTION

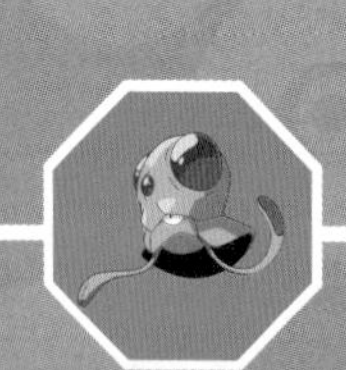
Tentacool

Tentacruel

RACAILLOU

Ra-ca-you

Type Roche  Type Sol

Taille : **0,4 m**

Poids : **20,0 kg**

Catégorie :
Pokémon Roche

Lorsqu'un Racaillou vieillit, les bords de son corps s'usent et deviennent polis. Pour dormir, il creuse dans la terre pour se camoufler en rocher.

ÉVOLUTION

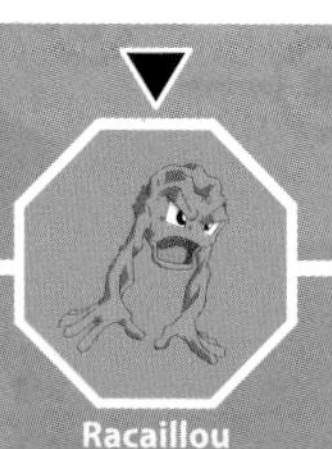
Racaillou

Gravalanch

Grolem

GRAVALANCH

Gra-va-lanche

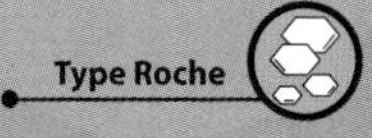

Type Roche  Type Sol

075

Taille : 1,0 m

Poids : 105,0 kg

Catégorie :

Pokémon Roche

Gravalanch adore manger des rochers, et les roches recouvertes de mousse sont le plat qu'il préfère. Il est capable d'escalader toute une montagne en mangeant s'il a très faim.

ÉVOLUTION

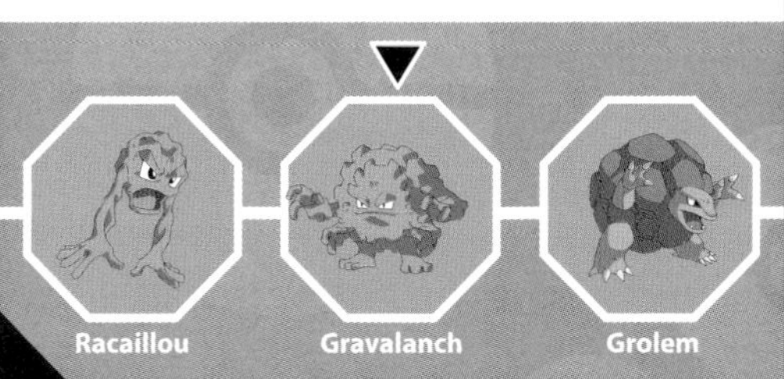

Racaillou — Gravalanch — Grolem

GROLEM

Gro-lem

Type Roche  Type Sol

076

Taille : 1,4 m

Poids : 300,0 kg

Catégorie :

Pokémon Titanesque

Les gens qui vivent à flanc de montagne creusent parfois des tranchées pour éviter que Grolem ne roule et écrase leurs maisons.

ÉVOLUTION

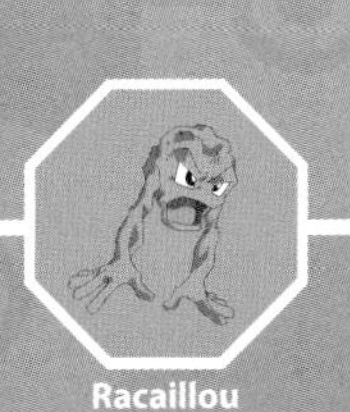

Racaillou — Gravalanch — Grolem

PONYTA

Po-ni-ta

Type Feu

077

Taille : 1,0 m

Poids : 30,0 kg

Catégorie :
Pokémon Cheval Feu

À sa naissance, les jambes de Ponyta sont trop faibles pour le soutenir. Mais il apprend vite à galoper en courant après ses aînés.

ÉVOLUTION

Ponyta

Galopa

GALOPA

Ga-lo-pa

Type Feu

078

Taille : 1,7 m

Poids : 95,0 kg

Catégorie :
Pokémon Cheval Feu

La plupart du temps, Galopa se promène tranquillement à travers les plaines où il vit. Lorsqu'il part au galop, sa crinière s'embrase.

ÉVOLUTION

Ponyta

Galopa

RAMOLOSS

Ra-mo-loss

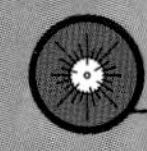

Type Psy

Taille : **1,2 m**

Poids : **36,0 kg**

Catégorie : **Pokémon Crétin**

Ramoloss passe la plupart de son temps sur la rive d'un cours d'eau, où il utilise sa queue pour pêcher. Il rêvasse souvent et passe toute la journée à paresser.

ÉVOLUTION

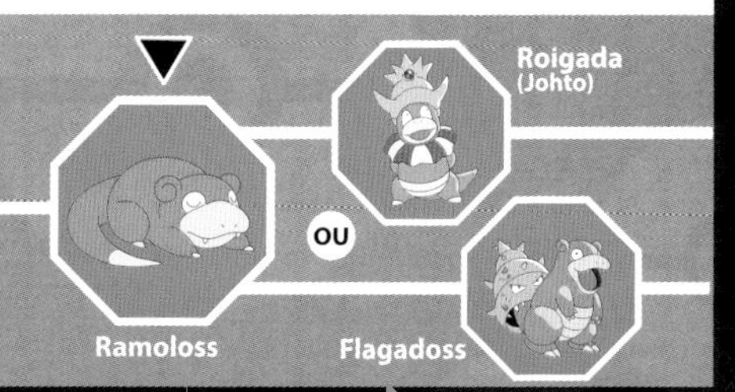

FLAGADOSS

Fla-ga-doss'

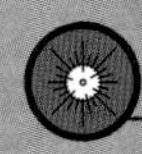

Type Psy

Taille : **1,6 m**

Poids : **78,5 kg**

Catégorie : **Pokémon Symbiose**

À cause du Kokiyas qui mord sa queue, Flagadoss ne peut plus passer ses journées à pêcher. Il est capable de nager pour attraper sa nourriture, mais ça ne lui plaît pas.

ÉVOLUTION

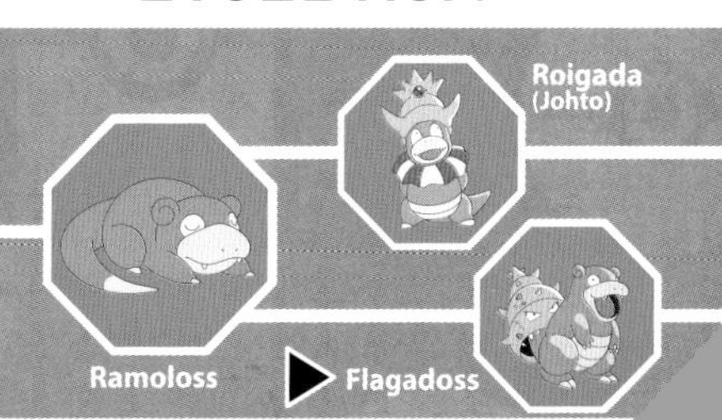

MAGNÉTI

Ma-nié-ti

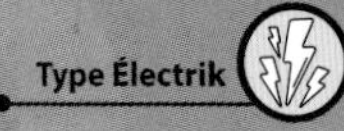
Type Électrik

Type Acier

Taille : **0,3 m**

Poids : **6,0 kg**

Catégorie : **Pokémon Magnétique**

Une panne de courant inattendue peut parfois être causée par des groupes de Magnéti. Ils drainent l'énergie des lignes électriques alimentant un bâtiment.

ÉVOLUTION

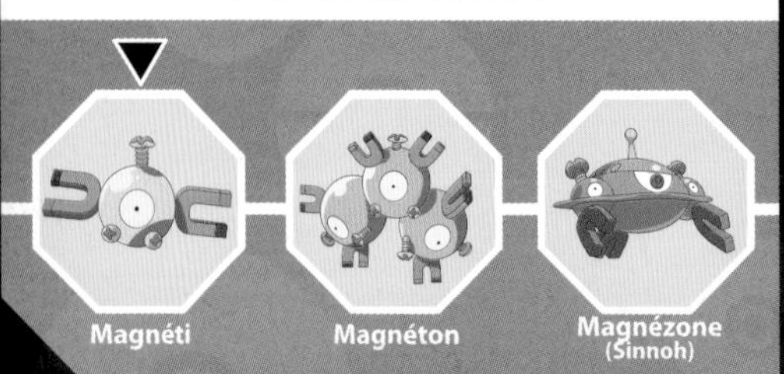

MAGNÉTON

Ma-nié-ton

Type Électrik

Type Acier

Taille : **1,0 m**

Poids : **60,0 kg**

Catégorie : **Pokémon Magnétique**

Le champ magnétique qui entoure Magnéton peut complètement dérégler les appareils électroniques et autres machines. Avoir ce Pokémon avec soi peut parfois compliquer les choses.

ÉVOLUTION

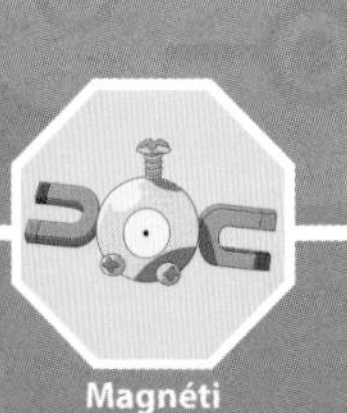
Magnéti

Magnéton

Magnézone
(Sinnoh)

CANARTICHO

Ca-nar-ti-cho

Type Normal — Type Vol

083

Taille : **0,8 m**

Poids : **15,0 kg**

Catégorie :
Pokémon Canard Fou

Canarticho transporte son fidèle légume partout où il va. Deux Canarticho peuvent parfois se battre pour obtenir un meilleur légume.

CE POKÉMON N'ÉVOLUE PAS.

DODUO

Do-duo

Type Normal — Type Vol

084

Taille : **1,4 m**

Poids : **39,2 kg**

Catégorie :
Pokémon Duoiseau

Quand une des têtes de Doduo dort, l'autre veille pour avertir la première du danger. Ses cerveaux sont identiques.

ÉVOLUTION

Doduo

Dodrio

DODRIO

Do-dri-o

Type Normal  Type Vol

Taille : **1,8 m**

Poids : **85,2 kg**

Catégorie : **Pokémon Trioiseau**

Dodrio a trois têtes, trois cœurs, et trois paires de poumons. Il peut surveiller toutes les directions en même temps et courir sur une longue distance sans se fatiguer.

ÉVOLUTION

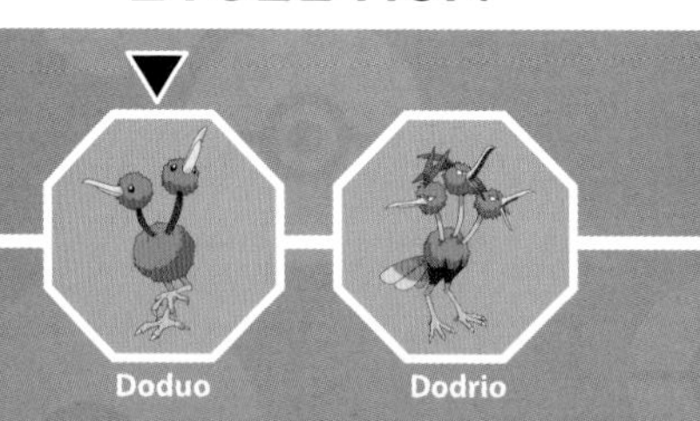

OTARIA

O-ta-ri-a

 Type Eau

Taille : **1,1 m**

Poids : **90,0 kg**

Catégorie : **Pokémon Otarie**

Otaria nage sous l'eau des lacs gelés à la recherche de nourriture. Il utilise la pointe qu'il a sur sa tête pour briser la glace et reprendre de l'air à la surface.

ÉVOLUTION

Otaria

Lamantine

LAMANTINE

La-man-tine

Type Eau  Type Glace

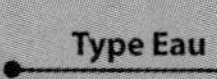

Taille : **1,7 m**

Poids : **120,0 kg**

Catégorie : **Pokémon Otarie**

Il y a longtemps, un marin a aperçu un Lamantine faire une sieste sur la glace et il l'a pris pour une sirène. Ce Pokémon adore dormir dans les endroits très froids.

ÉVOLUTION

Otaria

Lamantine

TADMORV

Tad'-morv'

 Type Poison

Taille : **0,9 m**

Poids : **30,0 kg**

Catégorie : **Pokémon Dégueu**

Grâce à son corps semblable à de la vase, Tadmorv se faufile dans de petites ouvertures comme les tuyaux des égouts. Il laisse derrière lui un liquide rempli de germes.

ÉVOLUTION

Tadmorv

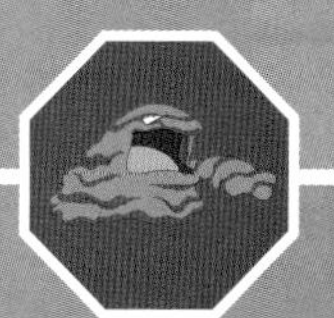

Grotadmorv

GROTADMORV

Gro-tad'-morv'

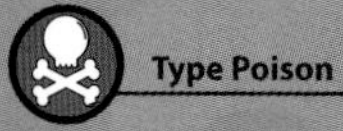

089

Taille : **1,2 m**

Poids : **30,0 kg**

Catégorie :
Pokémon Dégueu

Grotadmorv a une odeur nauséabonde. Le fluide puant qui se dégage de son corps pollue les rivières. On le trouve souvent dans les villes qui ont des problèmes de gestion des ordures.

ÉVOLUTION

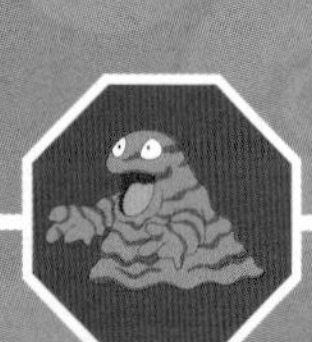

Tadmorv

Grotadmorv

KOKIYAS

Ko-ki-yas

090

Taille : **0,3 m**

Poids : **4,0 kg**

Catégorie :
Pokémon Bivalve

Quand la coquille de Kokiyas est fermée, sa longue langue a tendance à ressortir. Kokiyas utilise sa langue comme une pelle pour creuser un nid dans le sable.

ÉVOLUTION

Kokiyas

Crustabri

CRUSTABRI

Crus'-ta-bri

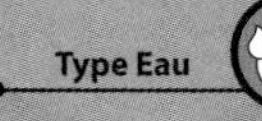
Type Eau 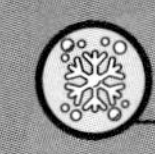 Type Glace

091

Taille : 1,5 m

Poids : 132,5 kg

Catégorie : **Pokémon Bivalve**

En aspirant l'eau et en la recrachant, Crustabri peut se propulser dans l'eau. Il utilise la même méthode pour projeter les piques de sa coquille sur ses adversaires.

ÉVOLUTION

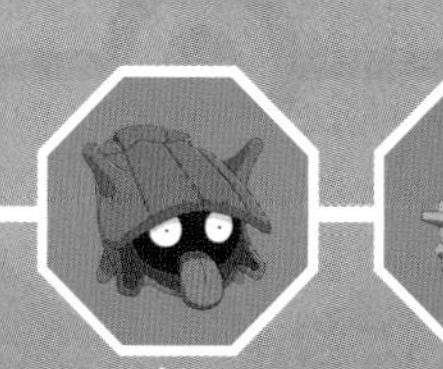
Kokiyas

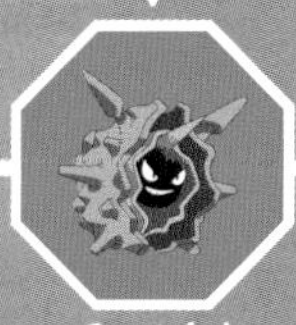
Crustabri

FANTOMINUS

Fan-to-mi-nus'

Type Spectre  Type Poison

092

Taille : 1,3 m

Poids : 0,1 kg

Catégorie : **Pokémon Gaz**

Le corps de Fantominus est composé de nuages de gaz qui peuvent être dispersés par des vents violents. Des groupes de Fantominus se rassemblent parfois près d'une maison pour s'en protéger.

ÉVOLUTION

Fantominus

Spectrum

Ectoplasma

SPECTRUM

Spec-tro-m

Type Spectre  Type Poison

093

Taille : **1,6m**

Poids : **0,1 kg**

Catégorie : **Pokémon Gaz**

Ne laisse jamais un Spectrum te lécher ! Sa langue fantomatique peut aspirer ton énergie vitale.

ÉVOLUTION

Fantominus — Spectrum — Ectoplasma

ECTOPLASMA

Ec'-to-plas'-ma

Type Spectre — Type Poison

094

Taille : **1,5m**

Poids : **40,5 kg**

Catégorie : **Pokémon Ombre**

Si ton ombre s'enfuit tout à coup, c'est peut-être un Ectoplasma qui te suit dans l'obscurité.

ÉVOLUTION

Fantominus — Spectrum — Ectoplasma

Ce Pokémon méga-évolue à Kalos.

ONIX

O-nix

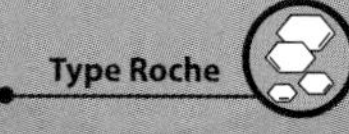

Type Sol

Taille : **8,8 m**

Poids : **210,0 kg**

Catégorie : **Pokémon Serpenroc**

Grâce à sa boussole interne, Onix ne perd jamais son chemin quand il fore le sol. Son corps se polit avec l'âge, ses bords rugueux deviennent lisses.

ÉVOLUTION

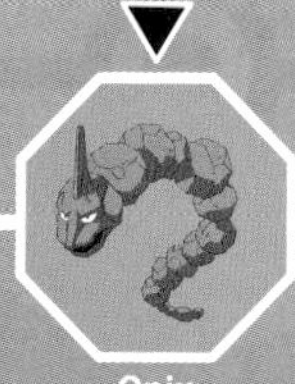

Onix

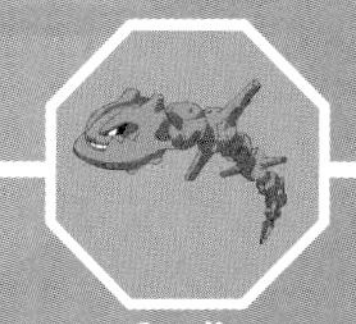

Steelix (Johto)

SOPORIFIK

So-po-ri-fik'

Type Psy

Taille : **1,0 m**

Poids : **32,4 kg**

Catégorie : **Pokémon Hypnose**

Lorsque quelqu'un se réveille avec le nez qui gratte, c'est peut-être que Soporifik est dans les parages et tente de capturer ses rêves.

ÉVOLUTION

Soporifik

Hypnomade

HYPNOMADE

Ip-no-mad'

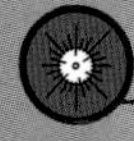

Type Psy

Taille : **1,6 m**

Poids : **75,6 kg**

Catégorie : **Pokémon Hypnose**

Quiconque regarde onduler le pendule brillant d'Hypnomade entre en transe. Pour augmenter son effet, Hypnomade le polit sans cesse.

ÉVOLUTION

Soporifik

Hypnomade

KRABBY

Kra-bi

Type Eau

Taille : **0,4 m**

Poids : **6,5 kg**

Catégorie : **Pokémon Doux Crabe**

Krabby creuse de gros trous sur les plages pour se construire un abri dans le sable. Lorsqu'ils ont de la difficulté à trouver de la nourriture, les Krabby peuvent se battre pour leur territoire.

ÉVOLUTION

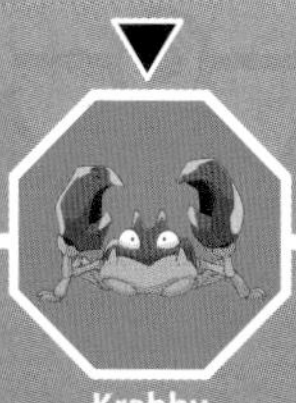

Krabby

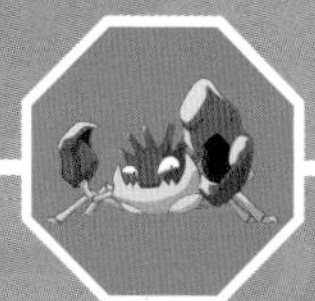

Krabboss

KRABBOSS

Kra-boss

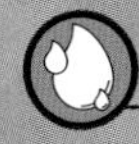

Type Eau

099

Taille : **1,3 m**

Poids : **60,0 kg**

Catégorie : **Pokémon Pince**

Krabboss agite sa pince géante en l'air pour communiquer avec ses semblables. Mais il ne peut pas tenir de longues conversations, car c'est très fatiguant pour lui !

ÉVOLUTION

Krabby

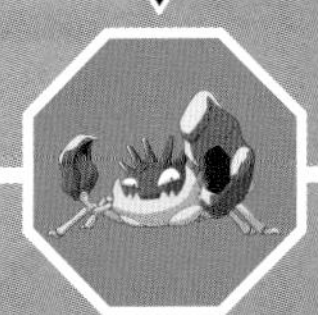

Krabboss

VOLTORBE

Volt'-orb'

Type Électrik

100

Taille : **0,5 m**

Poids : **10,4 kg**

Catégorie : **Pokémon Balle**

Voltorbe ressemble à une Poké Ball, et il a été aperçu pour la première fois dans une usine à Poké Ball. Y a-t-il un lien entre les deux ? Personne ne le sait.

ÉVOLUTION

Voltorbe

Électrode

ÉLECTRODE

É-léc'-tro-de

Type Électrik

101

Taille : **1,2 m**

Poids : **66,6 kg**

Catégorie : **Pokémon Balle**

Électrode se nourrit en absorbant l'électricité provenant la plupart du temps de centrales électriques ou d'orages. S'il absorbe trop d'électricité d'un coup, il explose.

ÉVOLUTION

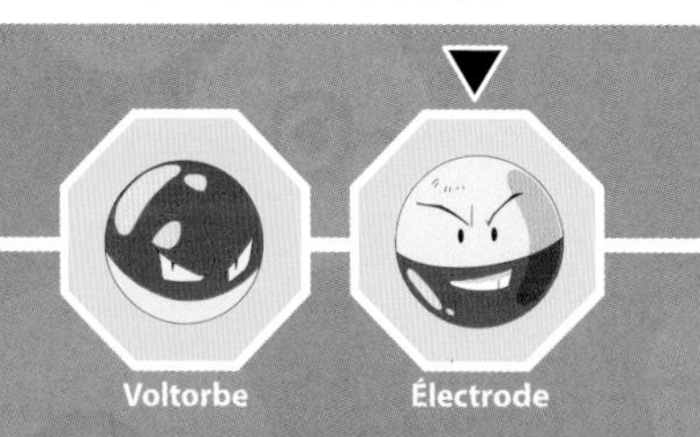

Voltorbe — Électrode

NŒUNŒUF

Neu-neuf

Type Plante

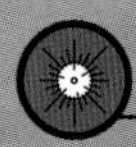

Type Psy

102

Taille : **0,4 m**

Poids : **2,5 kg**

Catégorie : **Pokémon Œuf**

Les six œufs qui forment le corps de Nœunœuf roulent et gravitent tous autour d'un même point. Quand les œufs commencent à se craqueler, cela signifie que ce Pokémon est prêt à évoluer.

ÉVOLUTION

Nœunœuf

Noadkoko

NOADKOKO

Nwad-ko-ko

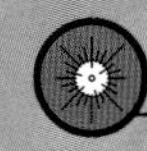

Type Psy

Taille : **2,0 m**

Poids : **120,0 kg**

Catégorie :

Pokémon Fruitpalme

Noadkoko est un Pokémon tropical, il possède trois têtes qui grandissent si on les met suffisamment de temps au soleil. On pense que les Nœufnœuf se forment à partir de têtes de Noadkoko tombées.

ÉVOLUTION

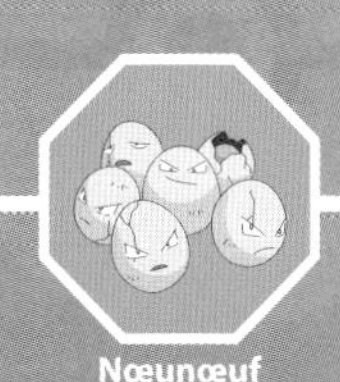

Nœunœuf

Noadkoko

OSSELAIT

Os-se-lè

Type Sol

Taille : **0,4 m**

Poids : **6,5 kg**

Catégorie :

Pokémon solitaire

Quand Osselait regarde la pleine lune, il y voit souvent l'image de sa mère disparue. Il porte un crâne sur lequel on voit les traces de ses larmes.

ÉVOLUTION

Osselait

Ossatueur

OSSATUEUR

Os-ssa-tueur

Type Sol

Taille : **1,0 m**

Poids : **45,0 kg**

Catégorie : **Pokémon Gard'Os**

Après avoir fait son deuil et évolué, Ossatueur devient extrêmement coriace. Son esprit, forgé dans l'adversité, peut résister à pratiquement n'importe quoi.

ÉVOLUTION

KICKLEE

Kik-li

Type Combat

Taille : **1,5 m**

Poids : **49,8 kg**

Catégorie : **Pokémon Latteur**

Kicklee peut tendre ses jambes comme des ressorts pour donner des coups d'une très grande force. Il prend toujours soin de s'étirer et de détendre ses muscles après le combat.

ÉVOLUTION

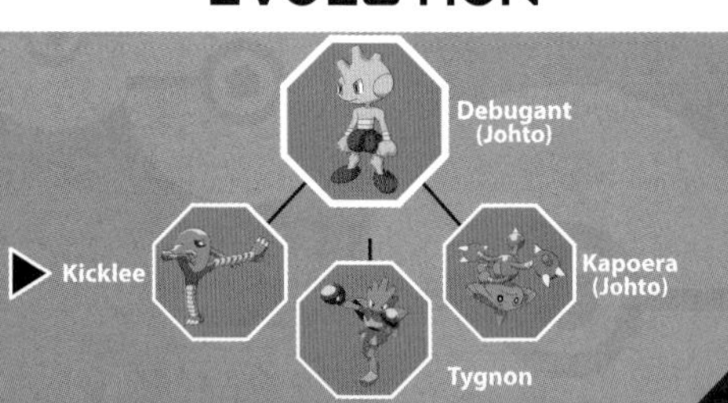

TYGNON

Taille-nyon

Taille : **1,4 m**

Poids : **50,2 kg**

Catégorie :
Pokémon Puncheur

Tygnon a l'esprit aussi combattif qu'un champion du monde de boxe. Il est extrêmement déterminé et n'abandonne jamais.

ÉVOLUTION

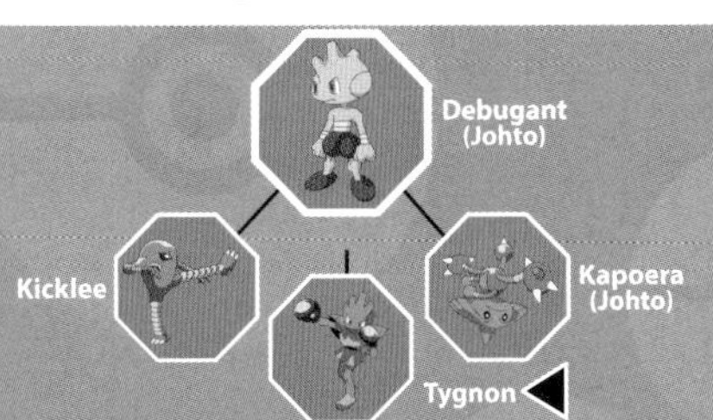

EXCELANGUE

Ex-cé-langue

Type Normal

Taille : **1,2 m**

Poids : **65,5 kg**

Catégorie :
Pokémon Lécheur

Excelangue analyse les objets en les léchant pour connaître leur goût et leur texture. Il n'aime pas vraiment les choses acides.

ÉVOLUTION

Excelangue

Coudlangue (Sinnoh)

SMOGO

Smo-go

Type Poison

Taille : **0,6 m**

Poids : **1,0 kg**

Catégorie :
Pokémon Gaz Mortel

Le gaz qui se trouve dans le corps de Smogo est extrêmement toxique. Lorsqu'il est attaqué, il envoie des nuages de gaz empoisonné sur ses adversaires.

ÉVOLUTION

SMOGOGO

Smo-go-go

Type Poison

Taille : **1,2m**

Poids : **9,5 kg**

Catégorie :
Pokémon Gaz Mortel

Les aliments pourris dégagent un gaz nocif qui attire Smogogo. Ses deux corps se gonflent et se dégonflent alternativement pour maintenir leurs gaz empoisonnés bien mélangés.

ÉVOLUTION

RHINOCORNE

Ri-no-corne

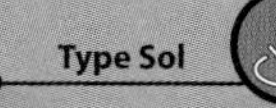

Type Sol — Type Roche

111

Taille : **1,0 m**

Poids : **115,0 kg**

Catégorie : **Pokémon Piquant**

Un Rhinocorne qui charge est tellement concentré sur son but qu'il ne pense à rien d'autre jusqu'à ce qu'il ait démoli sa cible.

ÉVOLUTION

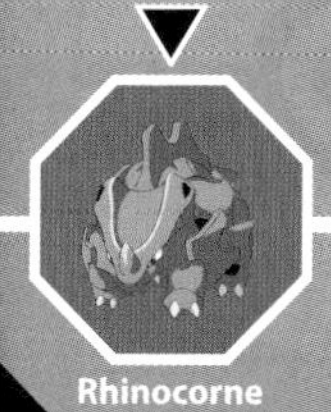

Rhinocorne

Rhinoféros

Rhinastoc (Sinnoh)

RHINOFÉROS

Ri-no-fé-ros

Type Sol — Type Roche

112

Taille : **1,9 m**

Poids : **120,0 kg**

Catégorie : **Pokémon Perceur**

La corne de Rhinoféros, qu'il utilise comme une perceuse, est suffisamment résistante pour réduire des diamants en poussière. Sa peau est comme une armure. Rhinoféros est capable de charger dans la lave en fusion sans rien ressentir.

ÉVOLUTION

Rhinocorne

Rhinoféros

Rhinastoc (Sinnoh)

LEVEINARD

Leu-vé-nar

Type Normal

113

Taille : **1,1 m**

Poids : **34,6 kg**

Catégorie : **Pokémon Œuf**

Les œufs produits tous les jours par Leveinard sont très nourissants et très savoureux. Même les personnes qui manquent d'appétit s'en régalent.

ÉVOLUTION

Ptiravi (Sinnoh)

Leveinard

Leuphorie (Johto)

SAQUEDENEU

Sak'-deu-neu

Type Plante

114

Taille : **1,0 m**

Poids : **35,0 kg**

Catégorie : **Pokémon Vigne**

S'il est attaqué, Saquedeneu peut se libérer des griffes de l'ennemi en y laissant quelques lianes. Elles repoussent en l'espace d'une journée.

ÉVOLUTION

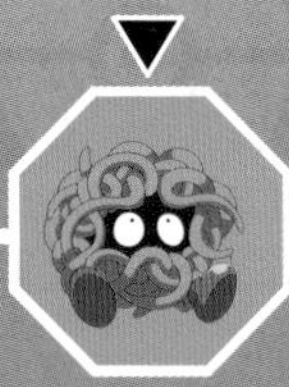

Saquedeneu

Bouldeneu (Sinnoh)

KANGOUREX

Kan-gou-rex

Type Normal

Taille : **2,2 m**

Poids : **80,0 kg**

Catégorie : **Pokémon Maternel**

Il faut laisser tranquille un bébé Kangourex qui joue dans son coin, car le parent Pokémon veille au grain et attaquera quiconque s'en approche.

CE POKÉMON N'ÉVOLUE PAS.

Ce Pokémon méga-évolue à Kalos.

HYPOTREMPE

I-po-trempe

Type Eau

Taille : **0,4 m**

Poids : **8,0 kg**

Catégorie : **Pokémon Dragon**

Hypotrempe enroule sa queue autour d'objets solidement encrés au sol marin pour éviter d'être emporté par le courant trop fort. Quand il se sent menacé, il crache un nuage d'encre pour couvrir sa fuite.

ÉVOLUTION

Hypotrempe

Hypocéan

Hyporoi (Johto)

HYPOCÉAN

I-po-céan

Type Eau

Taille : **1,2 m**

Poids : **25,0 kg**

Catégorie : **Pokémon Dragon**

Quand Hypocéan tourne sur lui-même, il est capable de créer un tourbillon d'eau assez puissant pour faire chavirer un bateau de petite taille. Hypocéan dort au milieu des branches de corail.

ÉVOLUTION

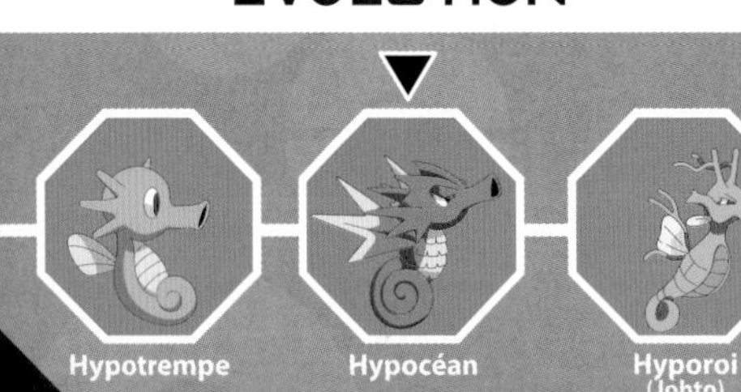

POISSIRÈNE

Poi-si-rène

Type Eau

Taille : **0,6 m**

Poids : **15,0 kg**

Catégorie : **Pokémon Poisson**

Les longues et élégantes nageoires de Poissirène se mouvent gracieusement dans l'eau. Il est difficile de garder ce joli Pokémon dans un aquarium, car sa corne peut briser le verre le plus épais.

ÉVOLUTION

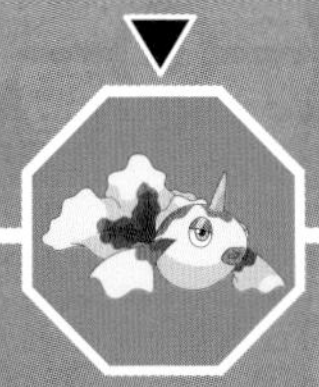

POISSOROY

Poua-so-roi

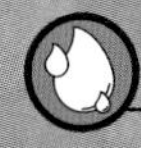

Type Eau

119

Taille : **1,3 m**

Poids : **39,0 kg**

Catégorie : **Pokémon Poisson**

Les Poissoroy mâles prennent des couleurs éclatantes en automne, qui est l'époque de l'année durant laquelle ils effectuent leur danse nuptiale. Le couple de Poissoroy se relaie chacun à son tour pour surveiller le nid.

ÉVOLUTION

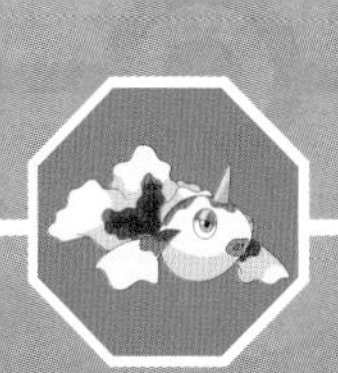

Poissirène

Poissoroy

STARI

Sta-ri

Type Eau

120

Taille : **0,8 m**

Poids : **34,5 kg**

Catégorie : **Pokémon Étoile**

Le cœur rouge de Stari brille de mille feux dans l'obscurité. On raconte qu'il fait clignoter son cœur rouge pour communiquer avec les étoiles.

ÉVOLUTION

Stari

Staross

STAROSS

Sta-ross

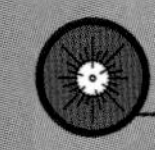

Type Eau — Type Psy

Taille : **1,1 m**

Poids : **80,0 kg**

Catégorie : **Pokémon Mystérieux**

Ce Pokémon est connu sous le nom de « joyau des mers », cela est dû au brillant arc-en-ciel produit par le cœur de Staross. Il fait tournoyer son corps comme une hélice pour se déplacer dans l'eau.

ÉVOLUTION

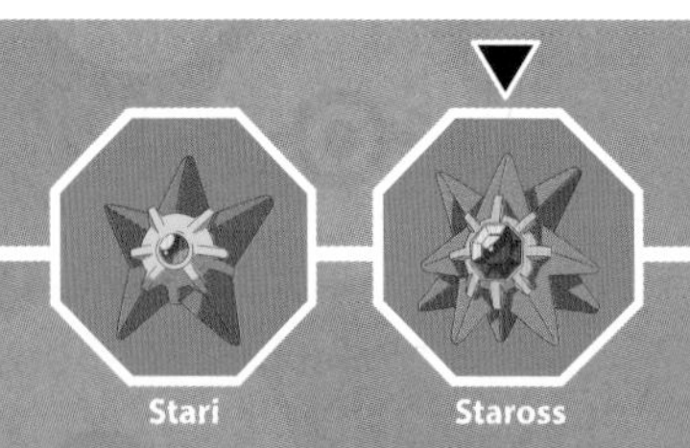

Stari — Staross

M. MIME

Monsieur Mim

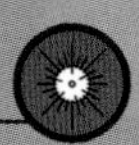

Type Psy — Type Fée

Taille : **1,3 m**

Poids : **54,5 kg**

Catégorie : **Pokémon Bloqueur**

Parfois, les gestes de M. Mime réussissent à faire croire à un passant que la chose invisible qu'il mime existe vraiment. Quand cela arrive, cette chose se matérialise.

ÉVOLUTION

Mime Jr. (Sinnoh) — M. Mime

INSÉCATEUR

In-sé-ca-teur

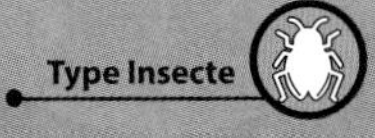

Type Insecte — Type Vol

Taille : **1,5 m**

Poids : **56,0 kg**

Catégorie : **Pokémon Mante**

Avec sa vitesse impressionnante et ses faux aiguisées comme des rasoirs, Insécateur est un adversaire redoutable. Il peut trancher une bûche en deux d'un seul coup.

ÉVOLUTION

Insécateur — Cizayox (Johto)

LIPPOUTOU

Li-pou-tou

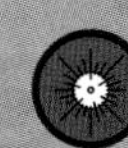

Type Glace — Type Psy

Taille : **1,4 m**

Poids : **40,6 kg**

Catégorie : **Pokémon Humanoïde**

Lippoutou marche d'une façon hypnotique et rythmique qui donne l'impression qu'il danse. Ceux qui le regardent bouger se mettent souvent à danser en rythme.

ÉVOLUTION

Lippouti (Johto) — Lippoutou

ÉLEKTEK

É-lék-tèk

Type Électrik

125

Taille : **1,1 m**

Poids : **30,0 kg**

Catégorie :
Pokémon Électrique

Pendant les orages, Élektek recherche les endroits en hauteur, en espérant être touché par la foudre. Il peut en effet absorber les éclairs comme un paratonnerre.

ÉVOLUTION

Élekid (Johto)

Élektek

Élekable (Sinnoh)

MAGMAR

Mag'-mar

Type Feu

126

Taille : **1,3 m**

Poids : **44,5 kg**

Catégorie :
Pokémon Crache-Feu

Lorsque Magmar fait jaillir des flammes de son corps pendant un combat, toutes les plantes qui se trouvent autour risquent de s'enflammer.

ÉVOLUTION

Magby (Johto)

Magmar

Maganon (Sinnoh)

SCARABRUTE

Sca-ra-brut'

Type Insecte

Taille :
1,5 m

Poids :
55,0 kg

Catégorie :
Pokémon Scarabée

Grâce à sa pince capable d'une puissante étreinte, Scarabrute peut soulever un ennemi bien plus imposant que lui. Les épines le long de ses cornes s'enfoncent dans son adversaire, ce qui rend la fuite encore plus difficile.

CE POKÉMON N'ÉVOLUE PAS.

Ce Pokémon méga-évolue à Kalos.

TAUROS

To-ro-s

Type Normal

Taille :
1,4 m

Poids :
88,4 kg

Catégorie :
Pokémon Buffle

Tauros n'est pas satisfait tant qu'il ne se bat pas. S'il n'y a personne à combattre, Tauros évacue son trop-plein d'énergie en chargeant les arbres et en les déracinant.

CE POKÉMON N'ÉVOLUE PAS.

MAGICARPE

Ma-gi-carpe

Type Eau

129

Taille :
0,9 m

Poids :
10,0 kg

Catégorie :
Pokémon Poisson

Bien que Magicarpe soit un Pokémon exceptionnellement faible en ce qui concerne les combats Pokémon, il est extrêmement robuste. Il peut vivre dans les eaux les plus polluées.

ÉVOLUTION

Magicarpe

Léviator

LÉVIATOR

Lé-vi-a-tor

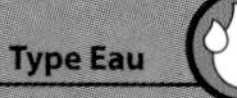

Type Eau

Type Vol

130

Taille :
6,5 m

Poids :
235,0 kg

Catégorie :
Pokémon Terrifiant

Lors de son évolution, la structure cellulaire du cerveau de Léviator change. Cela pourrait expliquer sa nature violente, car la fureur de Léviator peut parfois durer plusieurs mois.

ÉVOLUTION

Magicarpe

Léviator

LOKHLASS

Lok-lass

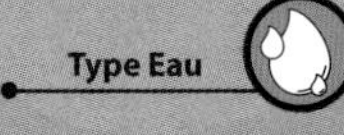
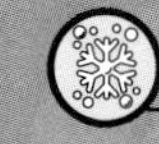

Type Eau — Type Glace

131

Taille : **2,5 m**

Poids : **220,0 kg**

Catégorie : **Pokémon Transport**

Il est dit que lorsque, à la tombée de la nuit, un Lokhlass chante une mélodie triste, il appelle en réalité d'autres Lokhlass. À cause de l'activité humaine, ces Pokémon sont de plus en plus rares.

CE POKÉMON N'ÉVOLUE PAS.

MÉTAMORPH

Mé-ta-morf'

Type Normal

132

Taille : **0,3 m**

Poids : **4,0 kg**

Catégorie : **Pokémon Morphing**

Métamorph peut modifier la structure de ses cellules pour changer de forme. Cela fonctionne particulièrement bien s'il a un exemple à copier. S'il essaye de copier quelque chose de mémoire, il peut parfois commettre quelques erreurs.

CE POKÉMON N'ÉVOLUE PAS.

ÉVOLI

É-vo-li

Type Normal

Taille : **0,3 m**

Poids : **6,5 kg**

Catégorie : **Pokémon Évolutif**

Les incroyables capacités d'adaptation d'Évoli font qu'il peut évoluer en de nombreux Pokémon différents selon son environnement. Certaines Pierres peuvent provoquer son évolution.

ÉVOLUTION

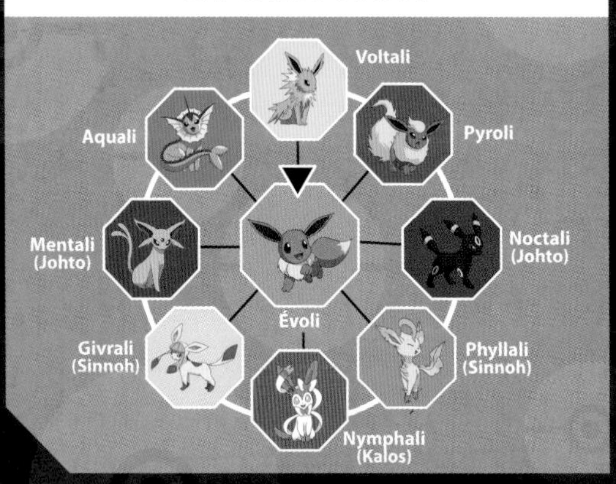

AQUALI

A-kwa-li

Type Eau

Taille : **1,0 m**

Poids : **29,0 kg**

Catégorie : **Pokémon Bulleur**

Grâce à ses branchies et ses nageoires, Aquali est parfaitement adapté à la vie aquatique. Il peut contrôler l'eau à sa guise.

ÉVOLUTION

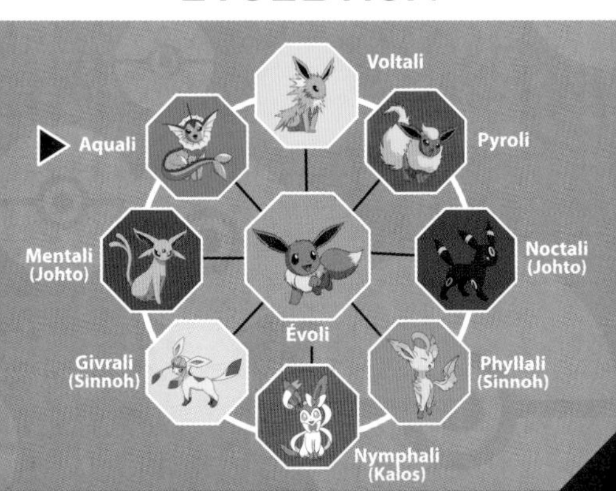

VOLTALI

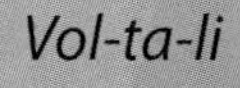

Vol-ta-li

Type Électrik

Taille :
0,8 m

Poids :
24,5 kg

Catégorie :
Pokémon Orage

Grâce à ses branchies et ses nageoires, Aquali est parfaitement adapté à la vie aquatique. Il peut contrôler l'eau à sa guise.

ÉVOLUTION

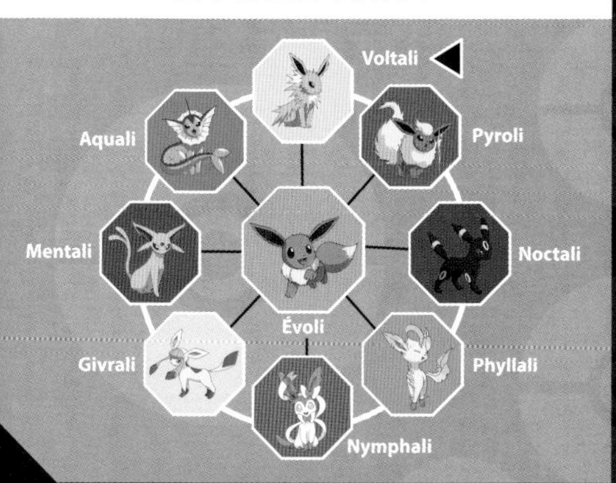

PYROLI

Pi-ro-li

Type Feu

Taille :
0,9 m

Poids :
25,0 kg

Catégorie :
Pokémon Flamme

Le corps de Pyroli peut atteindre de très hautes températures, c'est pourquoi il gonfle sa douce fourrure pour libérer de la chaleur dans l'air. Malgré tout, la température de son corps peut dépasser les 900 degrés Celsius.

ÉVOLUTION

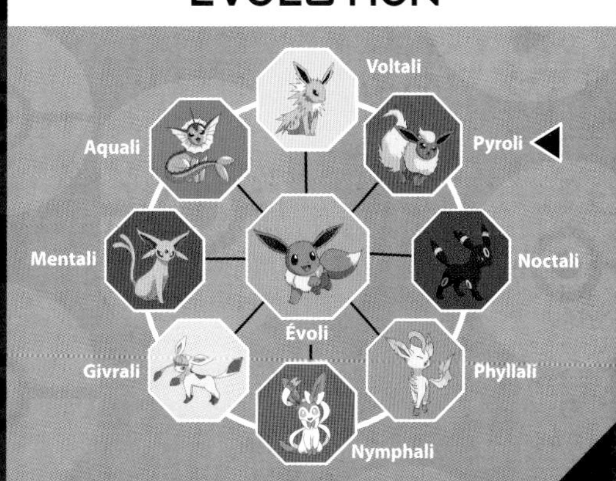

PORYGON

Po-ri-gon

Type Normal

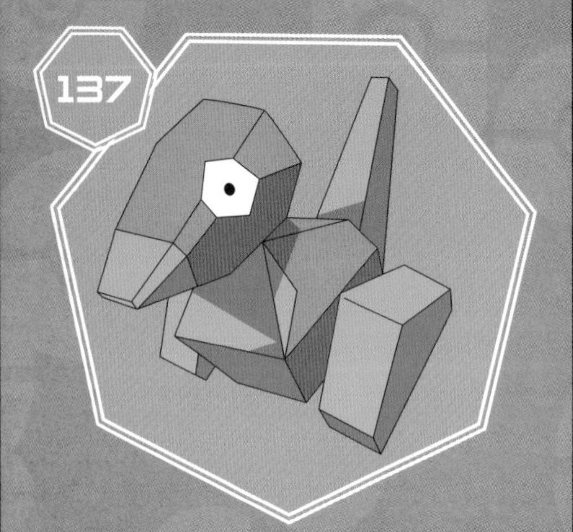

Taille : **0,8 m**

Poids : **36,5 kg**

Catégorie : **Pokémon Virtuel**

Porygon est né d'un code de programmation et il peut revenir à cette forme pour naviguer dans le monde virtuel. Il peut être dupliqué comme n'importe quelle donnée.

ÉVOLUTION

AMONITA

A-mo-ni-ta

Type Roche

Type Eau

Taille : **0,4 m**

Poids : **7,5 kg**

Catégorie : **Pokémon Spirale**

La coquille très robuste d'Amonita le protège des attaques de ses ennemis. Ce Pokémon très ancien a été ramené à la vie à partir d'un fossile.

ÉVOLUTION

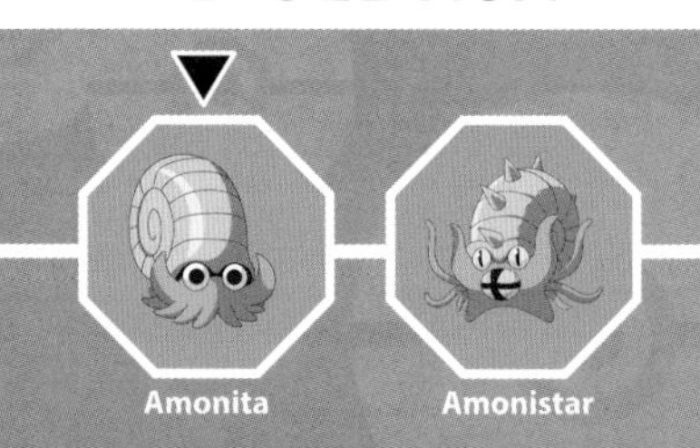

AMONISTAR

A-mo-ni-star

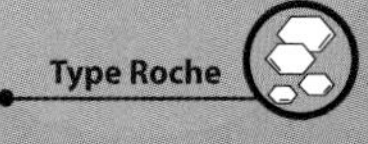
Type Roche

Type Eau

139

Taille : **1,0 m**

Poids : **35,0 kg**

Catégorie : **Pokémon Spirale**

Certains pensent qu'Amonistar aurait disparu parce qu'il n'arrivait plus à porter sa lourde coquille. Il utilise ses tentacules pour dénicher sa nourriture.

ÉVOLUTION

Amonita

Amonistar

KABUTO

Ka-bou-to

Type Roche

Type Eau

140

Taille : **0,5 m**

Poids : **11,5 kg**

Catégorie : **Pokémon Carapace**

Kabuto a été ramené à la vie à partir d'un fossile. En 300 millions d'années, il n'a pas évolué. On découvre de temps à autre un spécimen vivant à l'état sauvage.

ÉVOLUTION

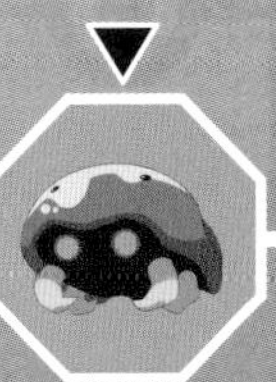
Kabuto

Kabutops

KABUTOPS

Ka-bou-tops

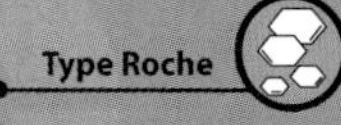

Type Roche — Type Eau

Taille : **1,3 m**

Poids : **40,5 kg**

Catégorie :
Pokémon Carapace

Il y a très longtemps, Kabutops nageait dans les océans à la recherche de nourrriture. Ses pattes et ses branchies se sont tout juste habituées à la vie terrestre.

ÉVOLUTION

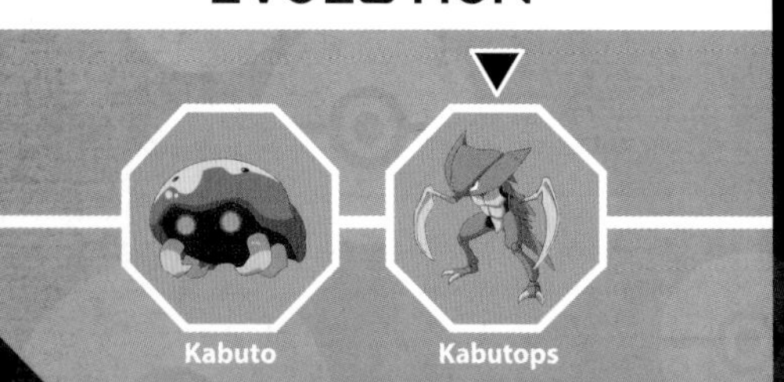

PTÉRA

P'té-ra

Type Roche — Type Vol

Taille : **1,8 m**

Poids : **59,0 kg**

Catégorie :
Pokémon Fossile

Ce Pokémon a été ramené à la vie à partir d'un morceau d'ambre fossilisé. On pense que Ptéra dominait les cieux à l'ère préhistorique.

CE POKÉMON N'ÉVOLUE PAS.

Ce Pokémon méga-évolue à Kalos.

RONFLEX

Ron-flex'

Type Normal

Taille : **2,1 m**

Poids : **460,0 kg**

Catégorie :
Pokémon Pionceur

Ronflex passe la plupart de son temps à manger et dormir. Les jeunes enfants s'amusent parfois à rebondir sur le gros ventre de ce gentil Pokémon.

ÉVOLUTION

ARTIKODIN

Ar-ti-ko-din

Type Glace   Type Vol

Taille : **1,7 m**

Poids : **55,4 kg**

Catégorie :
Pokémon Glaciaire

Quand Artikodin bat des ailes, l'air refroidit. Il neige au passage de ce Pokémon légendaire.

CE POKÉMON N'ÉVOLUE PAS.

ÉLECTHOR

Élek'-tor

Type Électrik  Type Vol

Taille : **1,6 m**

Poids : **52,6 kg**

Catégorie : **Pokémon Électrique**

Le pouvoir d'Électhor s'accroît lorsqu'il est touché par la foudre. Ce Pokémon légendaire peut contrôler l'électricité à volonté.

CE POKÉMON N'ÉVOLUE PAS.

SULFURA

Sul-fu-ra

Type Feu   Type Vol

Taille : **2,0 m**

Poids : **60,0 kg**

Catégorie : **Pokémon Flamme**

Certains racontent que Sulfura plonge dans un volcan en activité et se baigne dans la lave pour soigner ses blessures. Ce Pokémon légendaire peut produire des flammes à volonté et contrôler le feu.

CE POKÉMON N'ÉVOLUE PAS.

MINIDRACO

Min-ni-dra-co

Type Dragon

147

Taille : **1,8 m**

Poids : **3,3 kg**

Catégorie :
Pokémon Dragon

En grandissant, Minidraco mue régulièrement pour se débarrasser de son ancienne peau et s'adapter à l'énergie qui se développe en lui.

ÉVOLUTION

Minidraco

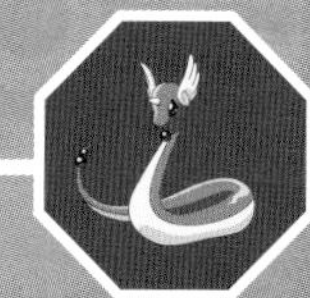

Draco

Dracolosse

DRACO

Dra-co

Type Dragon

148

Taille : **4,0 m**

Poids : **16,5 kg**

Catégorie :
Pokémon Dragon

L'énergie à l'intérieur de Draco peut être déchargée grâce aux cristaux spéciaux présents sur son corps. Apparemment, cette décharge d'énergie peut modifier le temps qu'il fait.

ÉVOLUTION

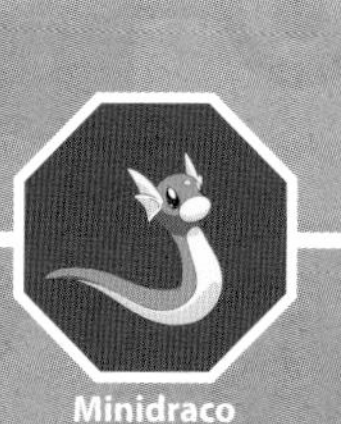

Minidraco

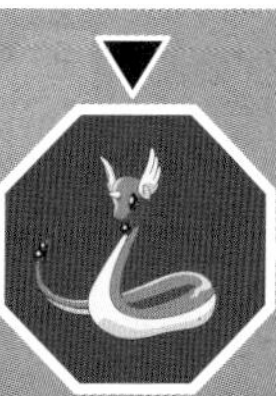

Draco

Dracolosse

DRACOLOSSE

Dra-co-losse

149

Taille : **2,2 m**

Poids : **210,0 kg**

Catégorie :
Pokémon Dragon

Dracolosse est capable de faire le tour du monde en volant en moins d'une journée. S'il aperçoit un bateau en danger sur l'océan houleux, il guidera l'équipage jusqu'à la terre ferme.

ÉVOLUTION

Minidraco

Draco

Dracolosse

MEWTWO

Miou-tou

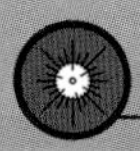

150

POKÉMON LÉGENDAIRE

Taille : **2,0 m**

Poids : **122,0 kg**

Catégorie :
Pokémon génétique

Des scientifiques ont créé Mewtwo en manipulant son ADN. Si seulement ils avaient pu le doter d'empathie par la même occasion...

CE POKÉMON N'ÉVOLUE PAS.

Ce Pokémon méga-évolue à Kalos.

MEW

Miou

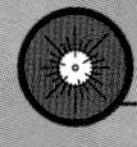

POKÉMON FABULEUX

Taille : 0,4 m

Poids : 4,0 kg

Catégorie : Pokémon Nouveau

On pense qu'à l'intérieur des cellules de Mew réside le code génétique de tous les Pokémon existants. Ce Pokémon fabuleux est capable de se rendre invisible pour que personne ne le remarque.

CE POKÉMON N'ÉVOLUE PAS.

INDEX DES POKÉMON

▶ PARAS
Insecte / Plante 36

▶ PARASECT
Insecte / Plante 37

▶ PERSIAN
Normal 40

▶ PIAFABEC
Normal / Vol 24

▶ PIKACHU
Électrik 26

▶ POISSIRÈNE
Eau 72

▶ POISSOROY
Eau 73

▶ PONYTA
Feu 52

▶ PORYGON
Normal 82

▶ PSYKOKWAK
Eau 40

▶ PTÉRA
Roche / Vol 84

▶ PTITARD
Eau 43

▶ PYROLI
Feu 81

▶ RACAILLOU
Roche / Sol 50

▶ RAFFLESIA
Plante / Poison 36

▶ RAICHU
Électrik 26

▶ RAMOLOSS
Eau / Psy 53

▶ RAPASDEPIC
Normal / Vol 24

▶ RATTATA
Normal 23

▶ RATTATAC
Normal 23

▶ REPTINCEL
Feu 16

▶ RHINOCORNE
Sol / Roche 69

▶ RHINOFEROS
Sol / Roche 69

▶ RONDOUDOU
Normal / Fée 33

▶ RONFLEX
Normal 85

▶ ROUCARNAGE
Normal / Vol 22

▶ ROUCOOL
Normal / Vol 21

▶ ROUCOUPS
Normal / Vol 22

▶ SABELETTE
Sol 27

▶ SABLAIREAU
Sol 27

▶ SALAMÈCHE
Feu 15

▶ SAQUEDENEU
Plante 70

▶ SCARABRUTE
Insecte 77

Loi n°49-956 du 16 juillet 1949 sur les publications destinées à la jeunesse.
Édition 01 - Dépôt légal : septembre 2016
Éxécution de la maquette : Sarah Bouyssou
Achevé d'imprimer en France par Pollina - L78111